L'OMBRE

DU MÊME AUTEUR :

La Bohême et mon cœur (poèmes).
Jésus-la-Caille (roman).
Les Innocents (roman).
Bob et Bobette s'amusent (roman).
L'équipe (roman).
Scènes de la vie de Montmartre (roman).
L'Homme Traqué (roman).
Verotchka l'Etrangère (roman).
Rien qu'une femme (roman).
Au coin des rues (contes).
L'Amour vénal (essai).
Images cachées (essai).
Rue Pigalle (roman).
Le roman de François Villon (vie romancée).
De Montmartre au Quartier Latin (souvenirs).
La légende et la vie d'Utrillo (vie romancée).
Printemps d'Espagne (reportage).
La Rue (roman).
Prisons de Femmes (reportage).
Traduit de l'argot (reportage).
La Belle Amour (contes).

A PARAITRE :

Paname (reportage).
La lumière noire (roman).
D'une autre vie (souvenirs).
Cour d'Assises (reportage).

FRANCIS CARCO

L'OMBRE

ROMAN

ALBIN MICHEL, ÉDITEUR
22, Rue Huyghens, 22 — PARIS

A Marcel Prévost

L'OMBRE

I

Ce samedi soir, avant minuit, quand elle
rentra du cinéma, Denise Fournier fut étonnée de voir de la lumière dans la chambre de
son frère et d'entendre le robinet couler.

— Comment, Jean, tu es là? demanda-
t-elle.

Le jeune homme ne répondit pas. Toutefois il coupa l'eau et se mit à marcher derrière la mince cloison qui le séparait de sa
sœur.

— Je t'en prie! dit alors celle-ci. Fais
moins de bruit. Maman dort.

Et elle se déshabilla sans que Jean cessât

d'aller et de venir, à pas pesants, sur le plancher.

D'habitude, il ne regagnait guère sa chambre de si bonne heure car il sortait tous les
samedis avec des camarades. Mais cette nuit-
là, soit qu'il n'en eût rencontré aucun, soit
qu'un ennui quelconque le tourmentât, il
continuait sa promenade absurde, de long en
large, comme une bête enfermée. La jeune
fille ne comprenait rien à ce manège.
Qu'avait Jean à tourner de la sorte? Pourquoi
ne répondait-il pas? Un moment, elle crut
l'entendre parler avec exaltation, et fut sur le
point d'aller voir s'il n'était pas malade, mais
elle se ravisa, de peur qu'il ne la reçût mal et
ne réveillât leur mère avec des cris. Cette
crainte empêcha Denise de se lever et elle
finit, très tard, par s'endormir en se jurant
d'avoir le lendemain une explication.

Or, le lendemain, en cachette, Jean quitta
la maison. Il faisait à peine jour. Une petite
pluie glacée mouillait les toits et les trottoirs.
A gauche, près de la devanture vert pomme

d'une pharmacie, la libraire, balayant le devant de sa minuscule boutique, reconnut le jeune garçon qui venait dans sa direction. La commerçante fit même la remarque qu'il était nu-tête et paraissait très agité. Brusquement se sentant découvert, le fuyard franchit la chaussée, longea les palissades d'une bâtisse en construction, la contourna, disparut. Alors la mère Mouillefeuille, qui vendait également à boire, accrocha sa pancarte, puis se mit à plier les journaux du matin. Le mot « buvette » en lettres noires, hautes comme la main, tenait toute la longueur de l'écriteau. On ne voyait que ce mot dans la perspective des façades. Puis, lentement, l'un après l'autre, ainsi que dans un film, des bars s'ouvrirent. Des hommes en bras de chemise, encore engourdis par une veille prolongée, enlevèrent les volets de bois, firent tomber des clavettes, poussèrent des tables, cependant qu'aux aboiements des chiens lâchés sur les trottoirs, le quartier s'éveillait. La pluie cessa. Le jour grandit, livide. Plusieurs taxis se succédèrent. Enfin, lorsqu'aux étages des maisons, la plupart des persiennes furent déployées, un nasillement de phonographe s'éleva tout à coup sans qu'on sût d'où il provenait.

Ce ne fut que vers dix heures, quand elle voulut lui apporter son petit déjeuner, que Denise s'aperçut de l'absence de son frère. Elle ne s'inquiéta pas. Il profitait parfois de la matinée du dimanche pour faire une promenade et serait très probablement de retour vers midi.

Mais l'heure du repas survint et Jean ne se montra pas. Après l'avoir vainement attendu, Denise et sa mère durent se mettre à table sans lui. Mme Fournier, très stricte à ce point de vue, ne cessait de maugréer.

— C'est inconcevable! Jamais ton pauvre père n'aurait toléré une chose pareille. Je te dis que Jean n'a pas de cœur!

— Voyons, maman...

— Il est trop gâté. Nous ne lui refusons rien. Tiens, cette installation d'eau dans sa chambre! Huit cents francs de frais. Et pour ce qu'il gagne à la banque! Voilà comme il nous récompense! Jamais exact.

— Mais il va rentrer. J'en suis sûre! Il a peut-être été au Bois... En revenant, une panne de métro l'aura mis en retard.

— Oh! toi, tu le défends toujours! Entre ta mère et lui, tu n'hésiterais pas une seconde. Et cependant, Dieu sait si j'ai été bonne pour vous deux!

Intarissablement, Mme Fournier récapitulait ses malheurs. Et quand elle avait fini, elle recommençait. Vraiment la destinée s'était montrée cruelle à son égard. Rester veuve à quarante ans, avec une fillette de douze ans et un gamin de huit, au moment où son mari, percepteur de première classe, allait enfin passer receveur des finances! Et une fois la famille réfugiée à Paris, toutes les économies disparaissant dans la débâcle de la *Cape Copper*. A elle, Mme veuve Fournier, née Valentine-Agathe de Rissorgues, il lui fallait subsister d'une dérisoire pension payée au

compte-goutte par ce sale gouvernement. Son
fils et sa fille étaient obligés de travailler,
comme des mercenaires. Et elle, née Valentine-Agathe de Rissorgues, cousine d'un vice-
amiral et d'un premier président, elle se
voyait réduite à habiter, dans ce faubourg
populeux, une maison d'ouvriers, en contact
avec des gens de rien!... Pour comble de
tristesse, elle ne pouvait même pas tabler sur
le respect de ses enfants. Encore ce matin,
elle avait dû aller à la messe toute seule! On
n'avait pas daigné l'accompagner. Ah! elle
vivait à une singulière époque. Rien, non
rien, ne lui était épargné.

Fatiguée de ces plaintes, Denise se leva.

— Comment? Tu me laisses?

— Excuse-moi, mère. J'ai la migraine. Je
vais me reposer dans ma chambre.

C'était une pièce banale, pauvrement installée, — les plus beaux meubles se trouvaient chez Jean. Le juste nécessaire : le lit
d'acajou écorné par les déménagements, une
table, un fauteuil d'osier. Çà et là, quelques

livres débrochés. Et sur la cheminée une assez belle réduction en marbre de l'*Adoration des Mages* de Nicolo Pisano : dernier cadeau de Marcel Bron, le fiancé de Denise, lorsqu'il était parti pour le Maroc, espérant y amasser les quelques milliers de francs qui leur permettraient d'entrer en ménage.

Généralement la jeune fille consacrait sa journée du dimanche à des lectures, à d'humbles raccommodages. Elle écrivait ensuite une longue lettre à Marcel, une sorte de journal, où elle lui faisait part des événements de sa vie monotone d'employée. Mais aujourd'hui, Denise ne songeait pas à écrire. Toutes ses préoccupations allaient vers son frère. Jamais Jean n'était resté si longtemps dehors. Elle cherchait vainement une explication. Quelque chose, qu'elle ignorait, avait dû se passer dans la vie du jeune homme, sinon pourquoi, la veille, aurait-il montré une telle agitation? Pourquoi ces allées et venues obstinées à travers la chambre, lui d'ordinaire si calme? Et maintenant, on ne le revoyait pas... Que s'était-il produit?

Longtemps, elle resta ainsi, à songer. Au dehors, l'avenue somnolait dans la léthargie de ce dimanche d'octobre, où passait déjà comme un aigre frisson d'hiver. En dépit d'elle-même, la jeune fille évoquait les pires catastrophes...

Soudain, elle se redressa. Comment n'y avait-elle pas songé? Tous les samedis, Jean, avant de sortir, grimpait au quatrième prendre une leçon d'anglais chez une amie de la famille. Certainement, Marthe Halluin devait être au courant de l'affaire. Il avait dû lui faire ses confidences. L'élève et le professeur s'entendaient à merveille. Et comme Marthe ne devait pas être sortie, Denise, pour ne pas réveiller sa mère qui somnolait dans la salle à manger, quitta sur la pointe des pieds sa chambre et gravit rapidement les étages. Parvenue au palier de Marthe, elle sonna plusieurs fois et frappa à la porte. Personne ne donna signe de vie. De plus en plus

inquiète, la jeune fille insista sans succès.
Enfin, de guerre lasse, elle redescendit tristement l'escalier et aperçut sa mère qui, s'étant
réveillée, attendait son retour.

— Je suis montée chez Marthe Halluin, dit
la jeune fille. Elle n'est pas là.

— Tu crois que Marthe sait quelque
chose?

— Peut-être.

— Elle ne t'a pas ouvert?

Denise haussa les épaules, s'enferma chez
elle et se laissa tomber sur son lit. Existait-il
un rapport entre l'absence de Jean et celle de
Marthe? Ce qu'on disait de cette femme et
de son frère dans la maison, de leurs relations auxquelles jusqu'à présent elle n'avait
attaché nulle importance, lui donnait à réfléchir. En dépit de ses quarante ans, Marthe
était de ces blondes un peu grasses, toujours
soignées, toujours aimables, dont un gamin
pouvait fort bien s'éprendre. Divorcée de longue date, elle touchait une rente qui s'ajoutait à ses appointements de première chez une

modiste. Cela lui permettait de ne point trop compter pour ses toilettes ni ses sorties. Marthe avait fréquemment des billets de théâtre. Elle en faisait profiter la jeune fille et son frère, qu'elle tutoyait et traitait comme son fils. Quand il lui arrivait de rentrer avec lui, par le métro, elle ne s'en cachait pas.

— Tu souhaiteras le bonsoir à ta mère, criait-elle au jeune homme dans l'escalier.

Un voisin, qui les épiait, prétendait les avoir surpris un soir en train de s'embrasser. Marthe s'était, paraît-il, mise à rire. Jean avait baissé la tête, piteusement. Au fond, ce n'était encore qu'un enfant. La concierge disait toujours de lui : « le petit Fournier ». Un être faible, pâlot, séduisant par sa timidité même. Denise, appréciée de ses chefs, avait réussi à lui procurer un emploi dans la banque Rosmer où elle travaillait et il y accomplissait sa tâche ponctuellement.

De même que pour entrer chez Rosmer, le « petit Fournier » n'avait émis aucune sorte d'objection lorsque sa sœur, soucieuse

de l'avenir, s'était avisée de lui faire apprendre une langue étrangère. Marthe Halluin
avait vécu à Londres, avant la guerre et parlait l'anglais couramment. Ses leçons lui
étaient payées par le jeune homme et celui-
ci, dès le début, avait eu l'impression bizarre
de découvrir en Marthe non point un professeur, mais une amie bavarde, cordiale, pleine
d'expansion. Il conservait encore le souvenir
du soir où elle était devenue sa maîtresse.
Tous deux se trouvaient dans le vestibule.
Jean allait prendre congé de Marthe, qui le
regardait en dessous, d'un air ironique, engageant et, comme il pensait à cette femme depuis plusieurs semaines, brusquement, gau-
chement, avec une émotion qui lui mettait
la tête en feu, il l'avait saisie entre ses bras,
avait cherché, trouvé sa bouche et Marthe
s'était alors docilement pliée à ce désir qu'aucun mot n'osait exprimer.

Jean n'était pas le premier qu'elle eût, par
ses manières, encouragé à la prendre. Elle
avait le goût des adolescents, comme certains

vieux ont celui des gamines, mais chez Marthe le plaisir d'éduquer, de former ses con-
quêtes se compliquait d'un instinct maternel,
trouble, indulgent à souhait. De petits ca-
deaux, des gâteries, des mines pâmées, une
manière à elle de céder après une feinte pu-
deur, ou des scrupules tardifs, ajoutaient à ses
séductions. Jean ne put bientôt plus désirer
d'autre femme. Quant à Marthe, elle ne né-
gligea rien pour l'avoir tout entier, prêt à
répondre au moindre appel; et lorsqu'elle eut
la certitude que le jeune homme ne lui échapperait plus, elle acheva de le dominer en exi-
geant qu'il ne payât plus ses leçons; puis elle
parvint à lui faire accepter de l'argent, plusieurs fois.

C'est cet argent que, la veille, en arpentant
sa chambre, Jean comptait fiévreusement. Le
total s'élevait à onze cent et quelques francs.
Le jeune garçon ne s'expliquait point qu'une

pareille somme fût en sa possession, mais soudain, il se rappelait ce qui venait de se dérou-
ler là-haut, chez Marthe, et il tombait dans
une torpeur, un abattement sans nom. Il avait
beau tenter d'effacer de sa mémoire l'image
horrible qui l'emplissait, il n'y parvenait pas.
Tout l'effrayait, l'épouvantait. Le bruit de ses
souliers heurtant les lames du parquet lui
procurait un malaise presque intolérable et,
néanmoins, il éprouvait une sorte de satisfaction à l'écouter, car cette résonance lui prouvait qu'il ne se déplaçait pas en rêve. Lorsque
Denise était rentrée, il l'avait entendue l'appeler. Il se passait alors de l'eau sur la figure.
La présence de sa sœur l'atterra. Il avait oublié qu'elle couchait près de lui, dans la pièce
voisine et, pour n'y plus penser, il s'était mis
à parler à haute voix, en se jurant qu'une fois
la jeune fille endormie il la fuirait, qu'il ne
reverrait plus personne de ceux avec qui il
avait jusqu'ici vécu, tellement son secret l'emplissait d'effarement, de terreur et de honte.

Cependant nul, dans la maison, ne se doutait de rien. Tout demeurait calme. Le gaz de l'escalier brûlait en clignotant. Derrière les carreaux de sa loge, la concierge attendait, en lisant *l'Intran,* que son vieux chat Pompon se mît à gratter à la porte afin d'aller au lit. La fugue du petit Fournier, à l'aube, n'étonnait pas autrement Mme Courte. Elle en avait tant vu, de ces galopins de l'immeuble, courir le dimanche, qu'elle classait le départ de Jean parmi quantité d'autres, sans importance. Mais elle venait à peine de se coucher qu'on sonna plusieurs fois à coups précipités. Au premier étage, Denise entendit, de sa chambre, la clochette et se leva d'un bond, prêtant l'oreille. Hélas! il ne s'agissait pas de son frère. C'était Firmin Blache, le crémier, qui rentrait ivre-mort et qui, cognant les murs en

titubant, gagnait son logement du cinquième,
en braillant d'une voix lugubre :

Si tu ne m'aimes pas, je t'aime.
Et, si je t'ai-me, prends ga-arde à toi...

II

Le lendemain matin, comme si chacun eût
attendu l'événement, les cris de la concierge
attirèrent tout le monde dans la cage de l'escalier.

A l'exception de Mme Fournier et de
M. Firmin, le crémier, qui partait pour sa
boutique de très bonne heure, les locataires se
trouvaient au complet. Il y avait là Milou,
l'employé de chemin de fer, et sa femme;
François Surgère, l'aide-pharmacien; Boussarie, qui boutonnait sa tunique verte de gardien de square; les deux sœurs Cossurel, res-
semblant à deux souris tristes; Mme Trinquet,
toujours enceinte; M. Gratscap, qui souffrait

d'un asthme chronique, et le vénérable
M. Lépinois, dont les varices retardaient la
marche. D'autres encore grossissaient la
cohue; des hommes en bras de chemise (l'un
d'eux, surpris en train de se raser, avait une
joue enduite de savon mousseux), des femmes sèches ou obèses, en jupon sordide, les
pieds nus dans des savates. Et toute une théo-
rie d'enfants dépeignés se poussaient, piail-
laient, se faufilaient entre les gens, et finis-
saient par se trouver au premier rang. Des
chiens jappaient. Des voix se mêlaient. Des
questions fusaient de toutes parts :

— Qu'est-ce qu'il y a? Vous savez, vous?
C'est le feu?

D'une porte, restée entr'ouverte au deu-
xième, montait un air de phonographe que
François Surgère, dans sa hâte, avait négligé
d'arrêter, et la voix grésillante scandait un
vieux refrain absurde :

Caroline, Caroline,
Mets tes p'tits souliers vernis,

Ta robe blanche
Des dimanches...

Dominant le vacarme, la voix aiguë de la mère Courte criait, du quatrième étage :

— Au secours! Au secours! Un agent!

— Vous, Milou, dit Boussarie, le gardien de square. Vous savez courir.

Milou, un petit rouquin sec, descendit l'escalier quatre à quatre. Le phonographe s'était tu. Cependant le double courant des locataires, ceux qui descendaient des combles et ceux qui arrivaient d'en bas, avait formé comme un barrage devant l'appartement de Marthe Halluin. Là, on commença à comprendre. Un serrurier venait d'ouvrir la porte et, son crochet encore aux doigts, hébété de ce qu'il avait vu, il répétait, par intervalles :

— Par exemple! Ah! ça, par exemple!

A côté de lui, la concierge s'opposait, bouleversée, à la poussée des locataires qui se pressaient devant le seuil. Elle gémissait :

— Non, n'entrez pas ! Que personne n'entre ! La malheureuse !

— Morte ? demanda le vieux Lépinois.

— Oui, répondit le serrurier. Pleine de sang !

La mère Courte renchérit :

— Assassinée !

Un frisson circula parmi tous les curieux. Denise, qui était accourue et ne pouvait plus redescendre à cause de la foule, se sentit aussitôt défaillir. La concierge expliquait :

— Pas ? Comme j'y portais son lait et son journal, j'ai pas compris pourquoi qu'elle me répondait pas. Ça m'a intriguée. J'ai eu peur d'un malheur et je suis été chercher M. Bringuebale qui a bien voulu ouvrir.

— J'aurais mieux fait, grogna Bringuebale, d'attendre un flic.

Le mot « flic » accentua l'effet de cette déclaration.

— Bédame ! affirma Boussarie, solennel. Il y a eu quasiment violation de domicile.

Et, comme pour donner plus de force à sa

parole de fonctionnaire assermenté, reflet lui-
même de la loi, il porta sa large main sale sur
sa vareuse verte où, à la place du cœur, res-
plendissait, énorme, la médaille commémora-
tive à ruban rouge et blanc de la grande
guerre.

— Que voulez-vous, reprit Bringuebale,
sur un ton morne, j'ai pensé qu'il s'agissait
d'une personne malade et que madame la
concierge avait l'ordre d'entrer voir. J'ai pas
eu d' mal. La porte était seulement poussée.
D'un simple tour de crochet, j'ai ouvert.

— Mais cet agent, jeta Mme Courte. Est-ce
qu'il vient?

Elle s'essuya le front avec son tablier et,
saisie tout à coup d'attendrissement, en profita pour s'éponger les yeux.

— Une si brave dame! soupira-t-elle en
larmoyant. Si bonne! Si gaie! Finir ainsi!

Elle ne sut plus soudain que dire en apercevant Denise qui la regardait terrifiée. Ins-
tinctivement celle-ci détourna la tête. Alors
le nom de Jean courut de bouche en bouche,

et la jeune fille, sentant l'hostilité s'accroître, n'insista pas. Sans qu'elle eût rien à demander, ses voisins s'écartèrent pour qu'elle pût s'en aller et tous la virent descendre, chancelante, épuisée, s'accrochant à la rampe, des deux mains.

— Celle-là, fit Mlle Cossurel, l'aînée, d'une voix aigre, il ne faut pas demander si elle a la conscience tranquille...

Irma Cossurel vendait des cierges et louait des chaises à la chapelle de Sainte-Radegonde.

— Vous avez raison, mademoiselle Irma, dit la femme de Milou. Vous avez mille fois raison. Quels sales gens, ces Fournier!

A cet instant, l'agent qu'on attendait appela d'en bas, d'une voix forte :

— Concierge !

— Par ici, répondit Mme Courte. Montez vite. C'est un drame.

Denise dut se ranger. L'agent, qui grimpait lestement les marches, ne fit point attention à elle mais sa présence épouvanta la jeune fille. Elle se retourna sur son passage avec un tremblement. Maintenant un silence effarant pesait sur toute la maison. Denise n'en pouvait plus. Elle acheva de descendre les degrés qui la séparaient du premier étage, et, derrière la porte, elle trouva sa mère affolée.

— Eh bien? demanda la vieille dame.

Incapable de parler, Denise la saisit dans ses bras, l'étreignit. Un moment, elles restèrent de la sorte, puis la jeune fille balbutia d'une voix rauque :

— On a trouvé, là-haut, chez elle, Marthe Halluin... tuée.

Mme Fournier joignit les mains.

— Mon Dieu! s'exclama-t-elle. Alors, on croit, on suppose que...

— Maman, je t'en supplie, calme-toi! Ce n'est pas Jean!

Elle ajouta, sans conviction :

— Non. Non, c'est impossible!

Et, se ressaisissant, elle entraîna sa mère vers la salle à manger, se mit à fouiller dans le tiroir du buffet où des photos de son frère étaient rangées, et expliqua très vite :

— Tous ses portraits, il faut les déchirer, les détruire.

Elle en découvrit plusieurs au fond d'une boîte, puis deux autres qu'elle retira de la page d'un album et, tandis que Mme Fournier allait jusqu'à sa chambre enlever la dernière d'un cadre, Denise courut à la cuisine où elle brûla le tout. Ces pauvres souvenirs se tordirent dans les flammes qui semblaient avoir pour mission de leur arracher des aveux. Bientôt il ne resta plus que quelques cendres. La jeune fille se trouva plus forte.

— Tu as raison, lui dit alors sa mère qui l'avait rejointe. Même coupable...

Denise répondit lentement :

— Ce n'est pas parce qu'il est coupable. C'est pour que les journaux n'aient pas une photo de lui, demain, à publier...

Puis, emmenant de nouveau dans la salle à manger la vieille dame, elle lui conseilla de se reposer. Mais Mme Fournier s'asseyait quand elle en recevait l'ordre et elle se relevait et suivait sa fille aussitôt que celle-ci faisait mine de la laisser seule. En ce moment, le contraste s'accusait plus que jamais entre les deux femmes. La mère était une lourde créature grisonnante qui marchait en traînant les pieds et qui, dans son méchant peignoir violet, sous lequel elle avait gardé sa chemise de nuit, paraissait plus que son âge, tellement l'effroi, l'angoisse, la stupeur l'abattaient. Denise ne lui ressemblait pas. Elle tenait du père — brune, vive, alerte, soignée — et pouvait, le premier choc reçu, se montrer capable de réflexion et d'énergie. Ce n'était pas son frère, c'était elle, le vrai garçon de la famille, et lorsqu'elle avait pris une décision, personne n'osait y contredire.

— Ecoute-moi bien, recommanda-t-elle d'une voix nette. On t'interrogera. Le commissaire, probablement, des journalistes ne tarderont pas à venir. Ils chercheront à te faire parler. Il ne faut rien répondre. Tu diras que tu ne sais pas, que Jean doit sûrement rentrer, soit aujourd'hui, soit demain, que tu l'attends, qu'il expliquera tout lui-même. Ne sors pas de là. D'ailleurs, c'est la stricte vérité. Comprends-tu?

— Oui, oui.

— Maintenant, puisque tu ne veux pas te reposer. Viens!

Elle se dirigea vers la porte d'entrée, l'entr'ouvrit imperceptiblement et, prêtant l'oreille, attendit.

Une agitation redoutable régnait dans la maison. La cage de l'escalier retentissait de cris, d'appels. On entendait les piaulements de la mère Courte qui donnait des explications. Sur le palier du quatrième, l'agent posait au hasard des questions auxquelles plusieurs personnes répondaient toutes ensemble avec une déconcertante volubilité.

— Demandez plutôt aux Fournier! glapit une voix perçante.

Denise tressaillit et constata, les dents serrées :

— Naturellement!

— Aux Fournier! protesta la vieille dame. Qu'est-ce qu'elle raconte? C'est la Milou qui a dit ça?

— Tais-toi!

— Quelle abomination! Tout de même, accuser les gens. On se renseigne! Est-ce que cette femme se doute qui nous sommes?

— Je t'en supplie. Tais-toi! Mais tais-toi donc! murmura la jeune fille.

Et retenant sa mère qui voulait avancer, elle poussa la porte et la referma, rapidement.

Durant ce temps, sur la chaussée, une foule de badauds qui venaient aux nouvelles, se pressait aux abords de l'immeuble et Denise, attirée par le bruit, souleva le rideau d'une fenêtre et s'aperçut de la cohue. Pénétrées de leur importance, orgueilleuses d'habiter un immeuble dont on allait parler dans les journaux, Mme Trinquet, la Milou, les sœurs Cos-

surel, Mme Surgère fournissaient des renseignements accompagnés de gestes, de commentaires. La mère Courte, bientôt, les rejoignit, son
chat entre les bras. S'arrêtant par instant dans
ses discours pour moucher un de ses mioches
ou pour lui décocher une gifle, Mme Trinquet,
les mains croisées sur son énorme ventre, ne
se contenait plus. Deux fois, Denise vit la Milou montrer de l'index les fenêtres du premier
étage et deux fois, la jeune fille recula instinc-
tivement comme si on lui avait jeté une pierre.
Elle se sentait attristée de toute cette haine,
que rien ne justifiait. Elle en souffrait. Elle
en était honteuse. Pourtant ce n'était pas sa
faute. Toutes ces femmes détestaient les
Fournier. Elles leur reprochaient d'habiter,
au premier étage, le plus bel appartement de
la maison, le seul qui comprît quatre pièces
et une cuisine. Elles en voulaient à Denise
parce qu'elle ne sortait jamais qu'avec un
chapeau, parce que ses pauvres robes si simples lui allaient bien, parce qu'elle avait les
mains fines et portait souvent un livre sous le

bras. Et la jeune fille, attentive derrière le
rideau, devinait, sans les entendre, les infa-
mies qu'on débitait sur elle, sur sa mère et sur
Jean.

Tout à coup la rumeur augmenta. Un appel de klaxon fit s'écarter la foule et deux
autos stoppèrent devant l'immeuble. Des
hommes en descendirent, d'un saut. Denise
comprit que l'appareil judiciaire était en marche et que, désormais, nul ne pourrait l'arrêter.

Alors elle s'éloigna de la fenêtre, regarda
Mme Fournier qui, prostrée dans un fauteuil,
à la fois émouvante et grotesque, récitait son
chapelet.

— Maman, dit-elle avec effort, voici la police... Tu te rappelles ce que tu m'as promis?
Pas un mot.

— Oui, oui, balbutia la vieille femme en
sanglotant.

La jeune fille tout émue la serra dans ses
bras et se sentit faiblir. Néanmoins, s'essuyant
les yeux, elle affirma d'un air sombre :

— Sois tranquille, moi non plus, je ne dirai rien.

Assisté du juge d'instruction, du médecin légiste, du commissaire et de quatre inspecteurs, le directeur de la police criminelle franchit rapidement le porche et un colloque s'établit sous la voûte. Derrière eux, immédiatement deux agents établirent un barrage. La mère Courte, excipant de sa qualité de concierge, put entrer sans difficulté; il en fut de même pour les locataires, dont les enquêteurs pouvaient avoir besoin, mais toute autre personne se vit refuser le passage.

Se dandinant, sourire aux lèvres, Mme Courte s'approcha du groupe des magistrats. Elle avait pris un air candide et caressait Pompon qu'elle serrait contre sa poitrine.

— Si ces messieurs ont besoin de moi, débita-t-elle d'un air amène, je suis la concierge de l'immeuble.

— Eh bien! rentrez dans votre loge, on verra, répondit le directeur de la police criminelle.

Il avait parlé sèchement. La mère Courte n'en fit pas moins une révérence, et très digne, avec toute la solennité que requéraient les circonstances, gagna son antre, où elle feignit de vaquer aux soins de son ménage, tout en observant du coin de l'œil les fonctionnaires pour qui elle se sentait pénétrée d'un respect quasi religieux et qu'elle trouvait si distingués.

Ils ne restèrent pas longtemps devant la loge : le commissaire distribua leur consigne aux inspecteurs. Ceux-ci se dispersèrent à travers la maison et l'enquête judiciaire commença. Puis le directeur de la police criminelle s'engageant dans l'escalier, le médecin légiste, le juge d'instruction et le commissaire le suivirent. Silencieusement, en file indienne, ils gravirent les degrés. Denise, l'oreille collée au vantail de sa porte, les entendit sur le palier du premier. Le bruit de leurs pas l'emplit d'une terreur obscure. Il lui semblait que ces gens l'eussent moins effrayée si elle les avait entendus parler. Ce sourd piétinement lui résonnait dans l'âme; il avait quelque chose de sinistre.

Puis survinrent les photographes de l'identité judiciaire munis de leurs appareils. De joyeux garçons, ceux-là, qui s'interpellaient à voix haute et heurtaient de leurs boîtes les barreaux de la rampe. A travers le mince bois de la porte, Denise et Mme Fournier écoutaient, haletantes. Mais ces hommes ne s'entretenaient que de choses vulgaires, sans intérêt.

— Tu comprends, disait l'un, une petite conduite intérieure d'occase comme ça. ça va chercher dans les sept ou huit mille. Et tu peux t'arranger avec le gars pour payer par mensualités.

— Eha! Morel, criait un second. T'as zyeuté la bouille à la pipelette? Tu parles d'une miniature, v'là ton affaire. Toi qu'es beau môme...

Les photographes passèrent. Des inspecteurs montèrent et descendirent lourdement.
C'était un va-et-vient indescriptible. A chaque instant, un choc extérieur faisait trembler
le vantail derrière lequel se tenaient les deux
femmes. Pourtant cette agitation ne leur faisait point oublier leur mutuelle promesse.
Non, elles ne diraient rien, quoi qu'il arrivât.
Parmi tout ce vacarme, elles tentaient de surprendre le pas de l'inconnu, de celui qui, tout
à l'heure, s'arrêterait devant la sonnette de
l'entrée et la tirerait, fatalement. Elles attendirent ainsi, sans échanger une parole, un
long moment dont la durée leur parut inter-
minable. Enfin, de l'extérieur, quelqu'un qui
s'était approché, donna plusieurs coups dans
la porte et annonça :

— Police !

Denise ouvrit. Un homme jeune, le chapeau sur la tête et le col de son pardessus re-
levé, dit aussitôt d'un air paterne :

— Inspecteur Roberge. Affaire Halluin.

Vous étiez des amies de la victime? J'ai besoin de renseignements.

— Oh! répliqua Denise, soupçonnez-vous mon frère?

Le policier ne broncha point. Il ne semblait pas redoutable : une de ces figures quelconques, comme on en rencontre par milliers chaque jour dans les rues. Avec son raglan mal coupé, son vêtement bleu de confection, sa cravate qu'ornait une perle fausse, il avait la tournure d'un de ces vagues courtiers en marchandise qui circulent, une petite boîte jaune à la main. La serviette de cuir élimé que portait Roberge accentuait la ressemblance.

Denise frissonna.

— Soupçonner votre frère? répondit enfin l'inspecteur avec un rire... Comme vous y allez! Pas encore! Je ne soupçonne personne sans preuve...

— Si monsieur veut entrer? proposa craintivement la mère.

— Merci. D'ailleurs je désire parler à mademoiselle, tête à tête. Simple formalité. Nous sommes très bien ici, à moins que mademoiselle n'accepte de m'accompagner dans la loge.

— Je vous suis, répondit Denise.

Tous deux descendirent. En bas, l'homme pénétra le premier chez la concierge. Pompon vint aussitôt se frotter contre les jambes du policier.

— Madame, dit celui-ci à la mère Courte. Désolé de vous déranger. Je voudrais interroger mademoiselle. Puis-je vous demander de nous laisser seuls?

A regret, la mégère sortit. Il ôta son chapeau, prit une chaise, en désigna une à la jeune fille qui s'assit en silence.

— Nous serons ici plus tranquilles! fit gaiement l'inspecteur en affectant de chercher des papiers dans sa serviette. Vous pourrez parler librement.

Denise, le cœur serré, regarda autour d'elle. Elle connaissait la loge de la mère Courte, mais jamais elle ne lui avait encore paru si affreuse, si navrante. Tout y était gluant de

saleté. Le lit, monumental comme une tour,
avec ses trois matelas, son édredon, son cou-
vre-pieds, occupait presque toute la place de
cette misérable pièce. Sur la cheminée de marbre noir, à côté d'un coffret en coquillages, il
y avait, sous un globe, une couronne de ma-
riée. Trois volumes — la bibliothèque de la
mère Courte — étaient placés sur la commode : *Fantomas, Le Maître de forges* et —
sans qu'on sût pourquoi — les œuvres scien-
tifiques de Gœthe. En angle, à côté du petit
fourneau à gaz, un évier de tôle dévernie
puait mélancoliquement.

Quelques minutes passèrent. Pompon qui,
décidément, paraissait éprouver pour le policier l'affection la plus vive, lui sauta sur l'é-
paule. Roberge le caressa d'un air distrait,
puis il prit dans sa poche un calepin, le feuil-
leta pour trouver une page blanche, et, après
avoir porté son crayon aux lèvres, s'apprêta,
posément, à noter les réponses qu'allait lui
faire la jeune fille.

— Votre frère... quel âge?

— Dix-huit ans.

— Il travaille, je crois?

— Rue du Quatre-Septembre, à la banque Rosmer, où je suis moi-même employée.

— Quels appointements?

— Les miens?

— Non, les siens.

— Huit cent cinquante.

— Dites donc, fit l'inspecteur en se balançant sur sa chaise, il est bien élégant, pour gagner si peu. On m'a parlé de souliers vernis, de smoking, de retour en taxi...

La jeune fille se sentit rougir.

— Oh! dit-elle. Il est défrayé de tout à la maison.

— Vous gagnez donc beaucoup d'argent?

— Deux mille.

— Faut pas vous plaindre. Je ne touche pas encore ça. Il est vrai que, moi, je ne suis pas une jolie fille.

Denise resta muette. Ses forces étaient tendues vers un seul but : faire attention, ne rien dire dont on pût se servir contre son frère.

L'homme remouilla machinalement son crayon.

— Jean Fournier a quitté la maison, hier matin?

— Oui, monsieur.

— Voyait-il souvent la femme Halluin en particulier?

— Je ne sais pas.

— Mais oui, voyons, vous savez. Réfléchissez. Est-ce qu'il n'avait pas quelque raison spéciale de lui rendre visite?

— Ma foi, en dehors des leçons qu'elle lui donnait, je ne peux pas vous dire.

— Ah! elle lui donnait des leçons?

La manière dont le policier prononça cette phrase avertit la jeune fille qu'elle s'était aiguillée sur une voie dangereuse. Elle prit alors — ou crut prendre — un air naturel et, pour sauver les apparences :

— C'est moi qui avais arrangé cela, débita-t-elle très vite. Je pensais que l'anglais lui serait utile à la banque et Mme Halluin était tout indiquée comme professeur. Elle lui donnait

deux leçons par semaine : le mardi et le samedi soir. Il aimait beaucoup ces leçons. Il
faisait des progrès. Pour rien au monde il
n'eût voulu en manquer une...

— Un instant. Vous avez dit le mardi et
le samedi.

Il nota les jours et constata :

— Votre frère se trouvait donc, avant-hier,
chez Marthe Halluin?

Denise essaya de se rattraper. Elle répondit
d'une voix qu'elle s'efforçait de rendre ferme :

— Oh! Il se peut qu'au dernier moment
il ait changé d'avis, qu'il ait décidé d'aller re-
joindre un camarade...

— Mais vous venez de me dire qu'il attachait une extrême importance à ces leçons.
D'ailleurs, un des voisins de palier de la dame
Halluin, le sieur Boussarie, a entendu Jean
Fournier sortir de chez la victime. On a reconnu la façon particulière qu'a le jeune
homme de descendre les marches deux à
deux...

Denise demeura atterrée. Mais déjà l'inspecteur semblait avoir oublié ce détail. Baissant le ton, il avait pris un air confidentiel.

— Ma chère demoiselle, susurra-t-il, je m'excuse vraiment de vous poser une question qui peut paraître gênante à une jeune fille... mais... Enfin, étiez-vous au courant des rapports, qu'en dehors de ses leçons, votre frère entretenait avec la femme Halluin?

— Non, monsieur.

— Il ne vous a jamais fait de confidence?

— Jamais.

— On affirme pourtant que vous sortiez tous les trois ensemble.

— C'est exact.

— Bon, reprit l'inspecteur, qui n'avait cessé d'enregistrer rapidement ce que disait Denise. Mais puisqu'il en est ainsi, voulez-vous m'expliquer comment la liaison de Jean Fournier et de la femme Halluin n'a pas attiré votre attention?

— Je n'y pensais même pas...

— Voyons, fine comme vous l'êtes?

— Demandez à ma mère, répliqua sincèrement Denise. Elle aussi l'ignorait.

— Laissons votre mère. Par décence, par délicatesse, nous ne l'interrogerons pas. Vous seule, pouvez, devez nous informer de tout ce que vous savez.

Il regarda son interlocutrice comme pour l'encourager et reprit, insidieux :

— Le soir du crime non plus, vous ne vous êtes doutée de rien?

Elle secoua la tête.

— Votre frère est rentré se coucher... vous dormiez?

— Non. C'est lui. Il se trouvait dans sa chambre lorsque je suis revenue du cinéma.

— A quelle heure?

— Vers minuit.

— Avant? après minuit?

— Avant.

Elle recula sa chaise, à cause du chat qui s'était séparé du policier et venait maintenant se frôler à sa jupe. Ce contact appuyé, cette pression presque humaine, lui causaient un

4

agacement mêlé de dégoût. L'inspecteur s'en aperçut et lui fit remarquer, l'air aimable :

— Vous êtes nerveuse.

— Oui, répliqua Denise. Je suis nerveuse. On le serait à moins. Le départ de mon frère, hier, dimanche... la découverte de cette chose affreuse qu'on veut lui imputer. Cet interrogatoire...

— Là, voyons, un si beau minet ! murmura le policier en grattant la tête du matou. Vous n'aimez pas les bêtes ? Si vous connaissiez Dagobert, le chat que nous avons à la préfecture. Il n'y a pas d'animal plus intelligent. Quand je fais mes rapports, il vient regarder ce que j'écris. Et il fronce le museau, comme pour dire : « Mon vieux Roberge, tu en ponds des bêtises ! » Oui, à certains moments, je me demande si Dagobert sait lire...

Denise ferma les yeux et songea, toute sa volonté tendue :

— Il ne faut pas que je parle. Il ne faut pas...

Un effroi la gagnait, de n'être plus maîtresse de son secret devant cet homme dont l'insistance et les façons doucereuses l'irritaient. Qu'avait-il à parler ainsi des bêtes? Etait-ce pour la dérouter et lui poser à l'improviste une nouvelle question dont le sens lui échapperait et dont on ferait état contre Jean? La jeune fille demeura les yeux clos, puis les ouvrit d'un coup, mais le regard qu'elle rencontra, braqué sur elle, ne fit qu'augmenter son appréhension.

— S'il s'aperçoit qu'il me domine, se dit-elle aussitôt, je suis perdue.

Et, cherchant à sourire :

— Excusez-moi. Ce chat qui est arrivé tout d'un coup. J'ai eu peur...

— Peur? répéta le policier.

Une brusque impression de chaleur envahit Denise des pieds à la tête et presque en même temps un frisson glacé la secoua. Elle comprenait que les moindres mots dont elle usait la trahissaient. Cette constatation accrut sa frayeur car, enfin, ce n'était point du chat qu'elle avait peur, mais de cet homme qui, maintenant, comme s'il eût été sûr qu'elle parlerait, la guettait du coin de l'œil, et ne disait plus rien. Il tournait le dos à la lumière: sa silhouette robuste se découpait sur les carreaux de l'unique fenêtre de la loge et les murs, le plafond, les meubles sordides étaient obliquement frappés d'une clarté jaunâtre qui venait de la cour et qui concentrait sur Denise son morne rayonnement.

Ainsi, quoiqu'elle tentât de mesurer son intonation et ses paroles, la jeune fille ne pouvait empêcher l'inspecteur de lire sur son visage ses sentiments les plus furtifs. Tout se liguait contre elle. Tout était calculé pour rendre inégale la lutte qu'on lui imposait. Qu'importe! Elle ne se laisserait pas abattre. Et, respirant profondément, elle réunit son énergie, puis se pencha et caressa Pompon qui miaula de satisfaction.

— Revenons à nos moutons, dit alors l'inspecteur. Recueillez vos souvenirs. Il n'est pas encore minuit : vous rentrez dans votre chambre. Vous vous déshabillez, vous vous mettez au lit. Cela peut environ nécessiter un quart d'heure. Durant ce temps votre frère dort... profondément.

Denise se rappela la scène.

— Est-ce bien ainsi que les choses se sont passées?

— Oui...

— Par conséquent, si notre jeune homme jouit d'un pareil sommeil, il a la conscience tranquille et ce n'est pas lui qui, vingt minutes, une demi-heure plus tôt, est précipitamment descendu du quatrième étage où, comme tous les samedis soirs, il se trouvait...

— Si. Peut-être... Pourquoi pas?

— Le crime aurait alors eu lieu juste après son départ?

La jeune fille allait répondre qu'elle en était convaincue mais la porte de la loge s'ouvrit et la mère Courte se montra sur le seuil. Le policier grogna :

— Tout à l'heure!

— C'est qu'on vous demande, répliqua la concierge. Paraît qu'on a trouvé là-haut des lettres du fils Fournier. Il y a un gros qui m'a dit : « Va prévenir Bernard. »

— Eh!... je ne suis pas Bernard

— Ah! vous n'êtes pas...

— Non, cria l'homme tandis que la mère Courte se retirait. Bernard perquisitionne au premier. Vous entendez? Au premier. Allez lui faire la commission et fichez-moi la paix!...

Il avait élevé si violemment la voix qu'il dut, avant de calmer sa colère et rassurer Denise, feindre, les mains tremblantes, de mettre en ordre les paperasses de sa serviette... La jeune fille voulut profiter du trouble de l'adversaire.

— Des lettres, reprit-elle, ne prouvent rien.

— Est-ce que je sais! fit-il en haussant les épaules. En tout cas, ce sont des lettres de Jean Fournier. Et, du moment qu'il se trouvait chez la dame Marthe Halluin, le soir du crime, il se peut qu'entre sa correspondance et son départ du lendemain, à l'aube, s'établisse une corrélation. De vous à moi, d'ailleurs, il n'est pas admissible que la veille de cette fuite votre frère n'ait en aucune façon donné l'éveil autour de lui. Vous m'assurez qu'il dormait : c'est faux.

— Comment?

— C'est faux, répéta l'inspecteur qui avait recouvré toute sa sénérité. Un garçon qui a tué ne dort pas.

Denise se révolta.

— Ce que vous dites là est infâme, déclara-t-elle. Vous n'avez pas le droit de parler de la sorte.

— Non, je vais me gêner.

— Quoi qu'il en soit, ce n'est plus la peine de me poser de questions : je ne répondrai plus.

— A votre aise, ma petite.

Le policier se leva, mit son chapeau, avec le souci évident de se montrer grossier. Il ne restait plus rien de sa feinte bonhomie du début. Sa voix résonnait, sèche, hostile.

— Entre nous, pas la peine de jouer à la sucrée. Nous verrons bien si vous crânerez autant devant le juge d'instruction.

— Vous allez m'arrêter? demanda-t-elle.

— Oh! je n'ai pas qualité pour agir sans ordre. Mais je vous fiche mon billet que si ça ne tenait qu'à moi, je vous coffrerais et vivement!

Denise haussa les épaules. Son courage était revenu. En la voyant ainsi, l'homme crut adroit de recourir pour un instant à la manière douce.

— Allons, dit-il d'une voix moins dure. Ne nous égarons pas... Vous défendez votre frère, c'est naturel. Mais, franchement, vous lui faites plus de mal que de bien. J'ai encore quelques précisions à vous demander et je suis sûr que vous allez me les fournir de bonne grâce. C'est dans son intérêt comme dans le vôtre.

Elle riposta, simplement :

— Puis-je remonter chez moi?

— Voyons, réfléchissez, vous pouvez être mêlée à l'affaire, inculpée comme complice. Même avec un non-lieu, c'est votre situation compromise. Vous n'avez pas de fortune.

L'homme avait trouvé l'argument qui portait. Denise n'en répliqua pas moins d'une voix ferme :

— Je vous ai dit la vérité. Cherchez ailleurs.

— Vous maintenez votre déposition? Rien soupçonné? Rien vu?

— Rien.

— Ça va! grommela l'inspecteur. Vous pouvez disposer.

III

Denise demeura songeuse, un court instant, au bas de l'escalier, et se félicita de n'avoir point trahi son frère; ce qu'elle avait pu dire de ses leçons, la police l'aurait certainement appris par les voisins. Somme toute, l'interrogatoire que venait de subir la jeune fille s'était mieux passé qu'elle n'aurait osé l'espérer. Elle se mit alors à gravir les marches, mais à peine en avait-elle monté quelques-unes qu'elle fut brusquement reprise de découragement à la vue du policier qui, debout sous la voûte, l'observait. Il avait allumé une cigarette et ne quittait pas Denise des yeux. Celle-ci crut qu'il allait la suivre. Elle se hâta d'arriver au premier étage, et dès qu'elle se trouva devant la porte, se sentit mieux.

Or une nouvelle épreuve l'attendait dans l'appartement. Deux inspecteurs y fouillaient méthodiquement les meubles, les placards et en jetaient à terre le contenu. La chambre de Jean avait été entièrement explorée. Un indescriptible désordre de hardes, de linge, de livres entassés l'encombrait tout entière.

— Quoi, s'exclama Denise, que cherchez-vous?

Un des hommes répondit :

— Renseignez-vous auprès du chef qui est là, derrière, dans la salle à manger. Nous, on ne sait pas.

L'infortunée poussa la porte de cette pièce et aperçut sa mère en larmes, écroulée sur une chaise. Un individu de forte corpulence se tenait près d'elle, mâchonnant un cigare éteint.

— Ma chérie! gémit la vieille femme. C'est horrible! Monsieur prétend que Jean...

— Non, madame.

— Mais si. Vous m'avez dit : « Votre fils est une crapule. C'est lui l'assassin. »

— Permettez, répliqua le chef. Je vous ai simplement rapporté les racontars qui courent dans la maison.

Denise s'approcha de Mme Fournier et l'embrassa.

— Maman, murmura-t-elle. Ne t'affole pas. Monsieur ne te veut pas de mal.

— Il m'en a pourtant fait...

— Votre mère se trompe, exposa l'homme au cigare. Je l'ai traitée avec les ménagements que peut inspirer une personne de son âge. Je ne suis pas une brute.

— Oui, fit Denise. Pourtant, je pensais qu'on ne l'interrogerait pas. Elle ignore tout...

— Ça, d'accord !

— Je vous demande donc de ne plus la tourmenter. Laissez-la se remettre.

Le policier parut réfléchir. Il se frotta le menton, perplexe, puis, sans un mot, il quitta les deux femmes qui l'entendirent demander à ses aides, dans la chambre de Denise :

— Toujours rien?

— Non, chef.

— Et sous le lit?

La jeune fille regarda sa mère anxieusement et lui saisit les mains.

— Depuis qu'ils saccagent tout, soupira la
vieille femme, je n'ose pas aller voir. Ils ont
bouleversé la cuisine... Je ne voulais pas...
Alors le gros m'a expliqué que, chez Marthe,
on n'avait pas découvert l'arme du crime, et
qu'on pensait qu'elle se trouvait ici.

— A-t-il mentionné de quelle arme il s'a-
gissait?

— D'un couteau...

Denise hocha la tête pensivement.

— Un couteau! répéta Mme Fournier do-
lente. Voyons, mon fils n'en a jamais eu. Tu
le sais, toi aussi... n'est-ce pas? Va leur dire...
Qu'ils s'en aillent! Je ne peux plus supporter ça. Ils vident tout. Ils pillent tout.

Elle voulut se dresser. Sa fille l'en empêcha.

— Ils vont partir, affirma-t-elle. N'y pense

plus! Ne te tourmente pas. C'est la fin, maintenant. Tiens, écoute...

— Oh! la fin, soupira la vieille femme. Je
ne crois pas... Le commencement, plutôt! Jusqu'à ce qu'ils aient tout saccagé, ils resteront...

— Mais non, voyons!

— Denise!

La jeune fille sursauta.

— Denise! dit encore la malheureuse, avec
une expression de terreur, d'égarement. Viens
plus près et réponds. Tu es sûre que ton
frère...

Elle n'eut pas la force de poursuivre et, se
débattant tout à coup, se renversa dans le fauteuil en poussant un grand cri.

Il y avait déjà trois heures que, du haut en
bas de l'immeuble, les inspecteurs, chargés de
l'enquête, recevaient des dépositions. Toutes
n'étaient pas défavorables à Jean, mais sa disparition, le lendemain du crime, témoignait

contre lui chaque fois qu'on l'envisageait. En effet, des voisins déclarèrent que, dans la nuit du samedi au dimanche, le jeune garçon avait si violemment tiré la porte de Marthe Halluin qu'ils en étaient restés saisis. D'après eux, une querelle avait dû éclater entre les deux amants. Or, selon la disposition de l'immeuble qui comportait trois appartements par étage, celui des Fournier se trouvait être au centre et personne n'avait rien surpris, vers onze heures, qui pût accabler Jean. Il était rentré, ce soir-là, comme à l'ordinaire. Ni ses allées et venues dans sa chambre, ni le bruit d'eau du robinet — qui avaient tant gêné Denise — n'avaient été perçus des locataires immédiats. Enfin — pour ceux qui parlaient de la façon brutale dont Jean avait claqué la porte de la victime — ils étaient incapables d'apporter la moindre précision sur la scène du meurtre qui, normalement, n'aurait pas dû leur échapper.

Cette scène, au dire du médecin légiste, avait eu lieu dans le vestibule d'où le corps avait ensuite été tiré jusqu'à la chambre puis abandonné tout à coup. L'assassin s'était-il proposé de truquer la mort de Marthe et, découragé par l'épaisse traînée rouge que le déplacement du cadavre laissait derrière lui, s'était-il à la fin décidé à s'enfuir en renonçant à son projet? Ce point restait inexplicable. On retenait néanmoins cette intention macabre contre l'auteur du meurtre et on y voyait aussi la preuve de son inexpérience. Les jambes, largement écartées, les bras rejetés en arrière, la tête déviée du côté droit et découvrant l'horrible sectionnement de la gorge par un objet tranchant, Marthe Halluin gisait dans la position où le coupable l'avait laissée sans avoir eu le cœur de terminer sa macabre mise en scène. La victime était en chaussures de ville et en bas de soie. Une des chaussures ayant glissé, on apercevait le petit pied aux ongles roses dans la transparence des mailles. Ce devait être par ce pied-là que l'infortunée créature avait été traînée d'une pièce à l'autre; mais si ténue que fût l'épaisseur du tissu, l'interposition de la soie empêchait qu'on pût relever aucune espèce d'empreinte sur le pied même ou sur la cheville. En raison de cette circonstance, l'assassin, qui avait cependant fait preuve d'une telle maladresse pour exécuter une partie de son plan, échappait aux recherches de l'identité judiciaire. La seule précision, contre laquelle rien ne l'eût protégé, ne pouvait provenir que de la découverte de l'arme dont il s'était servi.

Aussi les inspecteurs fouillaient-ils avec le plus grand soin les placards et les meubles de chacune des cinq pièces composant l'appartement des Fournier. Le chef de l'équipe — le gros qui mâchonnait un cigare — dirigeait les recherches et, mécontent des résultats, tantôt il reprenait derrière ses aides leur laborieuse vérification et tantôt indiquait un recoin inexploré.

— Eh bien? demanda subitement un homme qui surgit dans l'encadrement de la porte.

— Rien de neuf, monsieur le commissaire.

Le nouveau venu portait beau, et tranchait par sa mise sur la tournure des autres policiers. Il y avait, dans l'ensemble de ce personnage, un souci d'élégance que sa cravate un peu trop claire, ses gants un peu trop frais, le pli de son pantalon un peu trop rigide, ses souliers un peu trop vernis et sa ganse de monocle un peu trop large, poussaient à l'exagération. Il manquait à ce pseudo-dandy le goût de la mesure, du tact, de la nuance. De loin, c'était Brummel; de près ce n'était que M. Jory-Balard, commissaire de police, capacitaire en droit et membre du Touring Club. Il approcha des inspecteurs et dit :

— Enfin, où en êtes-vous? C'est insensé! ça n'avance pas.

Le chef ouvrait la bouche pour répondre que ce n'était pas sa faute si l'appartement ne contenait rien de suspect, mais M. Jory-Balard, péremptoire, opéra un demi-tour sur les talons, et, faisant tournoyer son monocle — ainsi qu'il l'avait vu faire jadis à Le Bargy dans le *Marquis de Priola* — sortit, traversa le vestibule et se dirigea vers la porte d'entrée pour aller retrouver ses collègues au quatrième étage.

C'est alors que le cri poussé dans la salle à manger par Mme Fournier éveilla sa curiosité. Il pénétra dans la pièce. Denise, qui s'efforçait de calmer l'agitation de sa mère, ne le vit pas entrer. Il en profita pour considérer un instant les deux femmes, puis il toussa légèrement. La jeune fille tourna la tête vers lui.

— Excusez-moi, dit-il alors. Je suis M. Jory-Balard, commissaire de police. Cette pièce n'a pas encore été visitée?

— Pas encore, monsieur, répliqua Denise. J'attends que vos inspecteurs aient terminé leur enquête à côté pour conduire dans sa chambre ma mère et l'aider à se coucher. Nous vous céderons la place immédiatement.

— Oh! mademoiselle, je vous en prie. Je serais désolé de vous déranger! fit le commissaire qui s'approcha de la fenêtre et jeta un coup d'œil au dehors.

Tapotant doucement les vitres de ses dix

doigts gantés, il parut s'absorber dans un spectacle des plus intéressants. Denise lui demanda :

— Les lettres que vous avez trouvées sont de mon frère?

— Certainement, répliqua-t-il sur un ton désinvolte. Elles paraissent même très importantes. Jean Fournier recevait de l'argent de sa maîtresse.

— Ah?

— Oui.

— Ce n'est pas une raison pour l'accuser.

— Ma foi, déclara M. Jory-Balard en avançant pour répondre, j'en suis le premier persuadé. Seulement, vous l'avouerez, sa fugue est assez singulière.

Il s'était placé de façon à se voir dans la glace surmontant la cheminée et regardait avec complaisance la grosse rosette violette qui ornait sa boutonnière.

— Mais, s'enquit la jeune fille, avez-vous fait téléphoner chez Rosmer? On pourrait vous y renseigner.

— Votre frère n'a pas repris son service à la banque.

— Vous en êtes sûr?

— Je viens d'avoir une longue conversation avec le directeur.

— Ses collègues de bureau ne savent rien?

— Eux, ni personne, affirma le commissaire. Je suis forcé de m'y résigner... Vous-même...

Denise réprima un léger mouvement d'impatience.

— Vous-même n'avez su fournir la moindre précision. Nous nageons en plein mystère. Et cependant, qu'une circonstance, si mince soit-elle en apparence, vienne à notre secours, l'enquête rebondira...

— Il vous faudrait le couteau, par exemple? dit la jeune fille en fixant ses yeux dans ceux de son interlocuteur.

— Oh! nous n'en exigeons pas tant!

Il y eut un silence, durant lequel le commissaire consulta d'un joli geste sa montre-bracelet. Denise demeura interdite. A quoi cet

homme faisait-il allusion? On entendait Mme
Fournier se plaindre. Enfin, M. Jory-Balard
reprit :

— Imaginons — simple supposition —
qu'à défaut de cette arme dont vous venez de
parler, un de mes sous-ordres découvre quelques taches suspectes sur un vêtement ayant
servi à votre frère et que, soumises à l'analyse,
ces salissures révèlent...

La jeune fille l'interrompit, cherchant à
cacher son trouble.

— Mais, dit-elle, je ne pense pas.

— Oh! ce n'est là qu'une hypothèse. Ad-
mettons, maintenant, si vous le voulez, qu'on
puisse prouver que la victime avait sur elle, le
soir de l'assassinat, une certaine somme...

— Eh bien?

— Vous n'êtes guère perspicace!

— Je constate, fit Denise, que toutes vos
conjectures sont dirigées contre Jean. Sous
prétexte que Marthe Halluin lui a, une ou
deux fois, prêté un peu d'argent, vous con-
cluez qu'il l'a tuée.

— Nous serons sans doute bientôt fixés là-dessus, dit le commissaire.

Cependant, ce n'était plus la jeune fille à présent, qu'il examinait, mais la mère, qui, figée, toute pâle sur sa chaise, éprouvait la plus grande peine à suivre ce dialogue et ne comprenait pas. D'instinct, il devinait qu'en s'adressant à cette femme, il en aurait plus facilement raison que de Denise et il allait s'y employer quand le chef l'appela du couloir de l'entrée où il venait de découvrir, derrière le porte-parapluie, un mouchoir maculé de sang.

IV

Il était à peu près midi lorsque le policier fit part de sa trouvaille et, sans qu'on sût comment, la nouvelle se répandit dans la maison où la confirmation des doutes qui pesaient sur le jeune Fournier apaisa les esprits. Denise dut convenir que le mouchoir appartenait à Jean, mais elle n'en dit rien à sa mère et la mena dans sa chambre, tandis que les inspecteurs se retiraient. Indifférente au désordre de la pièce, la jeune fille prépara machinalement le lit de la vieille femme et l'aida à se coucher. Puis elle se pencha sur Mme Fournier, l'embrassa et lui prodigua, sans y croire, de vagues paroles d'espoir et de consolation. Soudain le

timbre de l'entrée retentit. Denise tressaillit.
On ne la laisserait donc pas tranquille, on ne
lui permettrait pas de mettre un peu d'ordre
dans ses pensées en désarroi! Elle soupira,
alla jusqu'à la porte et poussa le verrou.

Une sensation d'effroi, d'isolement, d'im-
puissance l'accablait. Elle n'avait jusqu'alors
pas un instant douté d'égarer les soupçons
accumulés contre son frère. Pas un instant,
non plus, l'idée que celui-ci pût être ou non
coupable du crime ne l'avait arrêtée. Cela
n'importait pas. Elle était décidée à nier, et
elle nierait jusqu'à la fin. La jeune fille n'a-
vait qu'une seule pensée : défendre, sauver le
jeune garçon, ou tout au moins aider et protéger sa fuite, jusqu'à ce qu'il fût hors de danger. Où se trouvait-il maintenant? Avait-il pu
quitter Paris, gagner un port, une ville loin-
taine? Elle le souhaitait de toutes ses forces,
mais à présent qu'à l'image de son frère s'as-
sociait celle de ce meurtre et de ces policiers,
le découragement et la peur l'étreignaient. Un
regret — une rancune peut-être — lui venait

de ce que Jean n'eût pas montré plus de confiance envers elle, ne l'eût pas informée de son
acte, durant cette triste nuit qu'il marchait
de l'autre côté de la cloison, à travers sa chambre, si près et si loin d'elle. Par un trait ex-
cessif de sa nature, Denise reprochait à son
frère de s'être renfermé dans son douloureux
secret et de lui avoir ainsi causé une angoisse
plus pénible que la pire certitude. Elle ne
plaignait pas la victime. Elle savait Jean si
faible, qu'elle rejetait de bonne foi sur cette
femme toutes les responsabilités. Des impressions remontant à l'époque où ils sortaient ensemble, lui remettaient en mémoire certaines
coquetteries de Marthe. Denise n'en n'avait
point alors calculé les conséquences ni sup-
posé qu'elles étaient destinées à blesser Jean
dans son orgueil. Une fois, après une soirée à
l'Opéra-Comique, Marthe Halluin, sous le
prétexte qu'elle était invitée à souper par une
actrice de ses amies, avait laissé le frère et la
sœur rentrer seuls à minuit. Denise revit l'a-
dolescent assis à son côté, sur la banquette du

métro. Il se taisait, l'air pensif, préoccupé, et
la jeune fille s'était moquée de lui comme
d'un enfant. Ah! s'il avait confessé le mal
dont il souffrait, rien de ce qui venait de se
produire n'aurait certainement eu lieu!

Désormais, il était trop tard. Elle erra lentement de pièce en pièce, incapable de fixer
son esprit. Une succession d'images se dérou-
laient dans son cerveau : son frère y tenait
la première place, avec son visage allongé, ses
yeux clairs, sa mèche blonde, ses airs doux et
trop tendres...

Il pleuvait. La jeune fille ne voyait pas le
jour gris qui tombait des fenêtres, elle n'entendait point le grêle clapotement de l'eau
contre les vitres ni, au dehors, le ronflement
des taxis qui repartaient, après s'être arrêtés
devant l'immeuble. Il lui semblait vivre avec
une ombre et quand il arrivait qu'on sonnât
à l'entrée, elle écoutait distraitement. Des pas
dans l'escalier, les échos d'une conversation
où les cris de la concierge dominaient toutes
les voix, parvenaient à Denise et l'emplis-

saient de crainte. Brusquement un silence succédait à cette agitation, mais, alors, le tintement de la sonnette retentissait avec plus
d'insistance et la jeune fille devait réunir toute
son énergie afin de se replonger dans son
rêve et de s'y cantonner farouchement. C'était
le seul moyen d'échapper à la menace d'une
nouvelle souffrance, plus cuisante, plus aiguë,
dont elle ne voulait pas et qui, de toutes parts,
la guettait.

Pour fuir cette torture, après être restée
longtemps derrière la porte, Denise s'approcha sur la pointe des pieds de la chambre où
elle croyait sa mère endormie, mais celle-ci
s'était réveillée et se plaignait doucement.

— Mère, s'enquit la jeune fille, te sens-tu
mieux? Il est tard : près de trois heures. Tu
vas manger, n'est-ce pas?

Malgré les dénégations de la vieille dame,
Denise prépara le repas. Il ne pouvait être
question d'aller aux provisions. Peut-être demain en aurait-elle le courage; aujourd'hui,
non. S'efforçant de ne plus penser, la jeune

fille fit alors griller du pain qui restait de la veille, battit deux œufs dans un bol et confectionna une omelette. Avec des sardines, de la confiture et une tasse de café, Mme Fournier aurait un menu convenable.

— Allons, mère.

Creusée par l'émotion, celle-ci se mit à table. Puis, quand elle eut dégusté son café et se fut rencognée dans son fauteuil Voltaire, à oreillettes, elle s'assoupit.

Denise la considérait. La pluie ruisselait intarissablement sur les vitres. Une sorte de clarté verdâtre, crépusculaire, avait envahi la pièce. Mme Fournier, dans cet éclairage, était effrayante à voir ; elle avait l'air d'une morte. Denise frémit, évoquant celle qui, au-dessus... Et pour chasser le cauchemar, la jeune fille s'attacha mécaniquement à compter le tic tac du cartel.

Une partie de l'après-midi s'écoula de la sorte. Denise en était finalement arrivée à une sorte de torpeur, d'engourdissement quand, ayant soulevé le rideau de la fenêtre, elle aperçut un fourgon qui s'arrêta devant le porche de l'immeuble. Elle ne fut point d'abord frappée de ce détail, mais des gens s'attroupèrent immédiatement, et elle vit descendre du véhicule plusieurs hommes vêtus d'un uniforme sombre et coiffés de casquettes noires. Deux d'entre eux ouvrirent le fourgon à l'arrière et en firent glisser une boîte longue, recouverte d'un voile grisâtre, qu'ils chargèrent rapidement sur leurs épaules. La manœuvre fut très rapide. Denise n'y songea bientôt plus.

Cependant les curieux se faisaient plus nombreux. La jeune fille observa leurs allées et venues et en reconnut quelques-uns. Tous parlaient à la fois avec fièvre. Que disaient-ils? Doucement, pour qu'on ne pût rien remarquer de l'extérieur, Denise entre-bâilla la fenêtre et écouta. Comme toujours, la Milou menait le chœur. Elle expliquait à ses voisins que l'on était venu chercher le corps de Marthe, et qu'on le descendrait tout à l'heure dans le fourgon.

— Où c'est qu'on va l'emmener? à la morgue? s'informait la mère Courte.

— Mais non, faisait Mme Surgère. Il n'y a plus de morgue. Ça s'appelle : l'institut médico-légal.

— En tout cas, glapissait la Milou, je connais des gens qui vont respirer un peu. (Des têtes se levèrent un instant vers les fenêtres du premier.) Dame! ça doit être gênant un cadavre dans une maison, quand on a quelque chose à se reprocher.

Ici, Mme Trinquet prononça plusieurs paroles que Denise ne put parvenir à entendre.

— Mais non, mâme Trinquet, protesta aigrement la Milou, vous avez trop bon cœur. Je vous affirme, moi, que ces gens sont capables de tout...

— ...

— Qui vous dit qu'elle l'a pas aidé? Qu'elle y a pas tenu les mains, à c'te pauvre Marthe? Hein! Qui vous dit aussi qu'elle n'a pas tendu le couteau, à son frère?

— ...

— D'abord, mâme Trinquet, j'suis pas la seule de cet avis. Mlle Cossurel, qu'est une créature du bon Dieu comme on n'en fait plus, pense comme moi... Pas, mademoiselle Cossurel?

Celle-ci parla, les bras repliés sur son camail, les yeux baissés.

— Là, vous voyez, conclut la Milou triomphante, tandis que les gens hochaient la tête.

Denise écoutait, mais à présent, toute cette haine ne la terrifiait pas. La Milou, qui gesticulait, avait beau s'agiter, c'est à Jean que pensait la jeune fille. Peut-être assistait-il à ce spectacle, sans oser s'approcher. Il existait à droite, sur l'avenue, à une centaine de mètres, un bar d'où l'on pouvait tout voir. Denise regarda dans cette direction et aperçut à l'intérieur quelqu'un qui avait écarté le brise-bise et surveillait la scène. Denise s'effraya. Pourtant elle repoussa l'idée qui la terrorisait, et se dit que ce n'était pas Jean, qu'il n'aurait pas commis une semblable imprudence. En effet, elle reconnut bientôt un des policiers.

Mais sa peur n'en subsista pas moins. Des
bribes de romans, des phrases de journaux
lui revenaient en mémoire et lui faisaient redouter que son frère n'eût été, comme la plupart des meurtriers, attiré sur le lieu du crime.
Avec angoisse elle chercha Jean des yeux un
grand moment, tandis que les boutiques peu
à peu s'éclairaient. Elles n'étaient pas nom-
breuses. Un mur bordait, en face, une partie
du trottoir, et, dans le soir pluvieux, il avait
presque l'apparence d'un mur sinistre de pri-
son. A droite, du côté du bar, une étroite devanture de mercière laissait filtrer une lueur
chétive que la clarté brutale de la boutique
voisine rendait encore plus pauvre. L'éclairage du bar projetait, lui, une traînée blafarde
sur les pavés. Enfin, après des grilles d'où s'é-
chappaient les rameaux déjà dépouillés d'un
petit arbre, d'autres feux et d'autres reflets
ponctuaient l'avenue d'un miroitement loin-
tain, inégal et confus.

Denise ne put bientôt plus distinguer personne dans la pénombre trouble de la nuit qui

tombait. Elle ne voyait que l'averse qui glissait, silencieuse, dans le halo des lanternes du fourgon, et, petit à petit, sans chercher à comprendre, elle se sentit envahie d'une angoisse qui la pénétrait comme cette eau, la glaçait. Peu lui importait que, juste au-dessous d'elle les propos de la Milou continuassent de se répandre. Elle les confondait avec la pluie et ne les percevait même plus. Son angoisse lui venait de l'immobilité de l'auto qui attendait devant la porte son chargement funèbre : une angoisse singulière, mêlée d'horreur, d'appréhension. A mesure que le temps s'écoulait, elle développait, chez Denise, toutes les ressources d'une imagination ébranlée, maladivement, par tant de chocs, de heurts récents et lui faisait aussitôt tout exagérer et voir sous un jour grimaçant. C'est ainsi que l'idée du cercueil qu'on avait dû monter au quatrième s'imposa si cruellement à son esprit, qu'elle se représenta la pénible cérémonie comme si elle se fût déroulée en sa présence avec toute la hideur, la précision voulues. L'appartement

de Marthe lui étant familier, Denise s'y trans-
porta par la pensée et il lui parut que l'affreuse plaie d'où le sang de la malheureuse
s'était échappé à flots, coulait encore. Est-ce
que l'aspect de ce sang avait produit sur Jean
la même fascination? Denise en était effrayée.
Elle se dit que le cercueil devait contenir une
couche épaisse de sciure de bois afin d'empêcher le sang de se répandre, lorsqu'on saisi-
rait le cadavre, et qu'on le placerait à l'intérieur, puis elle voulut chasser toutes ces images. Mais la vision du corps de Marthe gi-
sant sous les yeux de la jeune fille revenait.
Et celle-ci s'en approchait et s'inclinait vers
lui. Avant qu'on l'emportât, elle voulait le
considérer de plus près comme si le sort de
Jean eût dépendu de cet examen. Elle s'age-
nouillait sur le tapis et, retenant son souffle,
tentait de soulever la tête qu'on avait recouverte d'un drap : elle écartait la toile, se penchait, se penchait encore, au point de toucher
presque des lèvres la face livide, mais, alors,
il lui semblait que la morte conservait son se-

cret sous ses paupières violettes et qu'un ric-
tus bizarre lui crispait le visage.

A ce moment, une rumeur courut parmi la
foule. Denise se secoua, recouvra sa lucidité,
et, subitement, souleva le rideau. La concierge
avait allumé le gaz sous le porche. Une molle
lueur rougeâtre, que zébraient les hachures
d'une nouvelle averse, inondait le pavé, l'auto
sombre, la foule grouillante sous la protection de plusieurs parapluies. Denise vit les
gens s'écarter, se bousculer, afin de permettre
aux porteurs de sortir de la maison. Quand
ceux-ci parvinrent au fourgon, ruisselants, le
cercueil vacillait lourdement au-dessus de
leurs têtes et ils durent s'arrêter avant de l'in-
cliner, desserrer leurs courroies et le laisser
glisser. Denise fut étonnée qu'il parût peser
un tel poids, mais, bientôt, d'une poussée, il
disparut dans le coffre de la voiture, et les
propos reprirent avec animation, tandis que
le bruit du moteur ronronnait à petits coups
rapides, très doux, monotones sous la pluie.
Enfin le fourgon démarra. Denise le regarda

partir et, laissant retomber le rideau, elle alluma la lampe, puis se rendit auprès de sa mère qui, la voyant pénétrer dans la chambre, lui dit d'une voix blanche :

— C'est toi?... Tu m'as fait peur !

V

Ce même soir, vers neuf heures, la concierge, qui cherchait Pompon pour aller se coucher, heurta du pied un paquet dans la cour, et machinalement, le ramassa. Elle allait le jeter à la poubelle lorsque l'idée que ce paquet pouvait appartenir à quelque locataire le lui fit examiner. Il était soigneusement confectionné et ficelé. La mère Courte, suivie de son chat, gagna la loge et c'est seulement alors, au moment de poser la trouvaille sur un escabeau, qu'elle la palpa, et soudain la trouva suspecte. Ce n'était point que cela fût lourd ou volumineux. A peine vingt centimètres de longueur, mais une moitié était ferme

et ronde et l'autre plate, souple. La mère
Courte réfléchit. Elle ne pouvait douter, à la
forme du paquet, qu'il ne contînt un couteau.
Qui donc avait pu s'en défaire? Un émoi singulier s'empara d'elle et l'obligea, lourdement, à s'asseoir en considérant d'un œil fixe
l'objet qu'elle tenait entre les mains. Ensuite
elle regarda craintivement autour d'elle et,
sans s'en rendre compte, commença de dé-
nouer le cordonnet que Pompon, sur la table,
essaya d'attraper, en jouant.

— Oh! toi, murmura-t-elle, en repoussant
son chat. Vas-tu finir?

Mais on n'avait point épargné la ficelle et
la mère Courte, qui ne voulait pas la couper,
passa plusieurs minutes à en venir à bout. Elle
dut encore une fois chasser Pompon qui, ne
comprenant rien à la mauvaise humeur de sa
maîtresse, s'assit sur son derrière et tranquillement la contempla. Pourtant, au premier
froissement du journal, la mégère sentit ses
forces faiblir et faillit s'arrêter. Le journal
était vieux de huit jours. Sur une page, elle

déchiffra la date, puis le titre, et se demanda
qui, dans l'immeuble, achetait le *Petit Pari-
sien*. Aussitôt le nom des Fournier lui vint à
l'esprit et elle en éprouva une sombre jubila-
tion. Pour que ce nom s'imposât de la sorte,
ne fallait-il pas admettre que Denise, par exemple, eût, après le départ des policiers, plié
l'arme du crime dans ce journal et jetée de sa
chambre qui donnait sur la cour? La mère
Courte se rappela l'endroit où elle avait ramassé l'objet. C'était précisément sous la fenêtre de la jeune fille. Le fait était indiscutable. Il constituait une preuve de plus contre
le fils Fournier; et que la vieille femme eût
tort de céder au désir de voir le couteau sans
en informer la police, cela ne changeait rien
aux choses. La curiosité qui la tenaillait empêcha la concierge de calculer les conséquences de son acte mais, comme elle se jurait de
refermer ensuite le paquet et de le ficeler aussi
soigneusement qu'elle l'avait trouvé, elle tira
le rideau de sa porte vitrée, assura le verrou

et se mit à déplier le journal avec mille précautions.

Une première, une seconde feuille cédèrent d'elles-mêmes. Les suivantes, retenues à la lame par le sang qui les avait imbibées, adhéraient les unes aux autres. La vieille femme fut obligée de les détacher successivement en apportant le plus grand zèle à sa besogne.

Chaque fois qu'en craquant, une feuille se décollait, la matière brune dont était taché le papier ajoutait une sorte d'enivrement à l'examen coupable de la concierge. Cependant, malgré tous ses efforts, celle-ci n'arriva pas tout à fait à dégager l'arme, car plusieurs épaisseurs de journal y demeuraient si fortement fixées qu'il eût fallu les arracher. La vieille femme recula devant ce geste. Déjà n'avait-elle pas été trop loin? Dans sa gangue de papiers froissés qui adhéraient au manche aussi bien qu'à la lame, le couteau apparaissait suffisamment à la mère Courte pour qu'elle l'identifiât à un couteau de cuisine ou plutôt, de boucherie, d'acier robuste et souple,

au fil tranchant. La concierge éprouva une
sorte de vertige. Comment un galopin, de
l'âge du petit Jean, avait-il eu l'audace de se
munir d'une pareille arme? Cela prouvait la
préméditation et créait en même temps entre
le criminel et sa sœur une évidente complicité.

— Ah! le bandit, le monstre, gémit la
mère Courte. Et elle donc! Quelle horreur!
Tu vois, dit-elle ensuite à Pompon qui, très
digne, paraissait se désintéresser de la question. Tu vois ça, mon minou? Ces Fournier,
quelles sales gens!

Ces mots la ramenèrent à la réalité. Replier
l'objet dans le journal et reficeler ce dernier
n'était pas chose facile. La vieille femme y
employa toute son adresse. Tant bien que
mal, le paquet, sous ses doigts, reprit son aspect et, quand elle l'eut vérifié de près, elle
l'abandonna sur la table et se leva. La tête lui
tournait un peu, mais elle alla jusqu'au robinet de l'évier et se rinça les mains.

— Le mieux, estima-t-elle alors, serait que

je prévienne la police. Y a pas loin. Avec ce
couteau près de moi, je ne fermerai pas l'œil.

Cependant, comment s'absenter sans risquer de trouver, au retour, la porte de l'avenue fermée? La concierge hésita un moment,
puis elle prit une résolution et, se hissant sur
ses jambes, fit route vers l'escalier. Là, une
espèce d'orgueil lui vint de cet immeuble
dont elle était, depuis dix ans, la gardienne
toute puissante, et elle se mit à en gravir les
marches, solennellement. Arrivée au palier du
premier étage, elle s'arrêta, pour écouter devant la porte des Fournier. Rien ne bougeait
à l'intérieur. On n'entendait rien non plus
chez les voisins, deux employés de commerce
taciturnes qui ne regagnaient leur logis que
pour dormir, mais au second étage, le vacarme
régnait en maître. Le phonographe des Surgère scandait un two-step; M. Lépinois, qui
avait l'âme d'un bricoleur, réparait, à grand
renfort de coups de marteau, la table de sa
cuisine, et Mme Trinquet, de sa voix nasillarde,
gourmandait ses innombrables rejetons cepen-

dant que M. Trinquet sifflait à la tierce, intarissablement.

La concierge ne s'attarda pas et, poursui-
vant son ascension, parvint peu après au troisième et sonna.

La Milou lui ouvrit.

— Ah! fit-elle, toute surprise, mâme
Courte!

— Parfaitement, répondit cette dernière.
Si vous pouviez garder la loge. Je ne serais
pas longue...

— Vous avez à sortir?

— Je dois aller au poste.

Milou, qui lisait un journal, demanda :

— Quoi faire, au poste?

— Chut! lui dit la concierge. Je vous ex-
pliquerai en bas. Venez donc!

Aussitôt l'homme se leva et, le plus doucement possible, descendit, avec sa femme,
l'escalier. Bientôt, devant le paquet que Mme
Courte avait placé sur la table, tous trois se
dévisagèrent sans pouvoir prononcer un mot.

— Enfin, à votre avis, s'informa la concierge, qu'est-ce que c'est?

L'autre la considéra d'un œil rond.

— N'est-ce pas? C'est un couteau? murmura la mère Courte.

— Un couteau! répéta Milou d'une voix profonde.

Sa femme lui dit :

— Ne parle pas si fort!

— Ah! fit-il, t'as raison. Avec cette histoire d'assassinat, on ne sait plus où qu'on en est.

— Pensez, soupira la concierge, j'ai trouvé ça... tout à l'heure dans la cour... et à le palper, j'ai compris.

— Montrez voir, demanda Milou.

— Et vous croyez? interrogea sa femme. Vous avez votre idée sur la personne qui a pu le jeter dans la cour?

Mme Courte regarda son interlocutrice d'un air si entendu que celle-ci baissa la tête et déclara soudain à son mari pour déguiser son trouble :

— Voyons... Faut qu'elle le porte au commissariat. Maintenant, rends-le lui. Laisse-la partir.

Et tous deux, dans la loge, attendirent, sans oser s'asseoir, que la mère Courte fût de retour.

Il ne fit plus dès lors de doute pour personne que Denise s'était stupidement débarrassée de l'arme qu'elle avait dû trouver le soir du crime et, qu'au lieu d'écarter ainsi les soupçons qui pesaient sur son frère, elle n'avait réussi qu'à les rendre plus accablants.

Au commissaire qui vint le lendemain matin, accompagné d'un inspecteur, interroger la concierge, celle-ci confirma qu'elle avait découvert le paquet sous la fenêtre de la jeune fille et montra même l'endroit.

— Pouvez-vous préciser l'heure?

— C'était vers les neuf heures... neuf

heures un quart, monsieur le commissaire...

— Eh bien! dit-il, s'adressant à son subordonné, ça se dessine.

— Mais, objecta celui-ci, les fenêtres de tous les étages donnent également sur la cour.

M. Jory-Balard, promenant son regard au-dessus de lui, aperçut à sa croisée Denise qui l'examinait craintivement. La jeune fille esquissa un timide salut. Le commissaire ne répondit pas et déclara très haut, afin qu'elle entendît :

— Possible. En tout cas, de ces fenêtres, une seule m'intéresse. Et pour cause!

La concierge et l'inspecteur qui avaient, eux aussi, levé la tête, se gardèrent de rien ajouter et écartèrent en même temps les yeux tandis que le commissaire criait à la jeune fille :

— Ne sortez pas. Je monte.

En effet, peu après, un bref coup de sonnette l'annonçait chez les Fournier. Sans proférer un mot, il se rendit, suivi de Mme Courte et de l'inspecteur, dans la chambre de la jeune fille, alla à la fenêtre et dit :

— Je vais lancer le paquet. Concierge! Attention! Vous assurez l'avoir trouvé près de la poubelle? Suivant moi, c'est bien la poubelle qu'on visait. Mais on aura manqué d'adresse. Et voilà! ajouta-t-il après avoir jeté l'objet qu'il tenait à la main. Où tombe-t-il?

— Juste où je l'ai ramassé, déclara presque au même instant la mère Courte. Il faisait nuit. J'ai senti sous mon pied quelque chose...

M. Jory-Balard se tourna vers Denise qui, toute pâle, assistait à la scène.

— A présent, mademoiselle, dit il, si vous voulez descendre.

— Mais de quoi s'agit-il?

— Vous allez le savoir.

Il adressa un signe à l'inspecteur qui entraîna Denise sans lui fournir d'explications.

Une fois dans la cour, sous les regards des locataires qui se pressaient aux fenêtres, le magistrat, prenant à part Denise, lui montra le paquet et demanda si elle le reconnaissait.

7

— Moi? pas du tout!

— Réfléchissez. Il en est temps encore.

— Non, dit sincèrement la jeune fille. De ma vie, je n'ai vu ce paquet.

— Evidemment.

— Je ne comprends pas, reprit Denise, que l'insistance du commissaire glaçait. Je ne suis entrée dans ma chambre que ce matin. Mère peut vous le certifier. J'ai passé la nuit à ses côtés. Je l'ai soignée. J'ai dormi près d'elle.

— Bien! Bien!

— Monsieur, protesta Denise avec effort. Je jure que je ne mens pas.

— Hier non plus vous ne mentiez pas, fit M. Jory-Balard. On a trouvé pourtant un mouchoir.

— Oui... on m'a dit...

— Hier matin un mouchoir, et, ce soir, un paquet : celui-ci. Vous doutez-vous de ce qu'il renferme?

La jeune fille pâlit.

— Répondez!...

— Oh! fit-elle en se roidissant. Comment

voulez-vous que je réponde, puisque je ne sais pas?

Il y eut un silence, que le commissaire rompit en déclarant :

— C'est bon. Veuillez vous rendre au poste.

Puis, escorté par la concierge et l'inspecteur qui désigna la porte à Denise, il partit à grands pas.

Dans l'avenue, les badauds s'écartèrent. Un livreur, sur le siège de son camion, regarda passer la jeune fille et cria :

— N'avoue pas, la gosse!

Ses voisins le huèrent. Une femme le traita de voyou, mais, aussitôt, il fit claquer son fouet, poussa son cheval à travers la foule et répliqua par des grimaces aux réflexions dont on l'assaillait. Pendant ce temps Denise, qui redoutait que quelque nouvelle charge accablante pour son frère ne se trouvât aux mains de la police, essayait de deviner en quoi cette charge pouvait bien consister. Sa contention d'esprit uniquement dirigée sur ce point l'empêchait de remarquer la laideur, comme vivante, des choses qui l'entouraient. Ni le triste drapeau pendant au-dessus de l'entrée du commissariat, ni la lanterne poussiéreuse, ni les grillages des fenêtres ne firent sur elle la moindre impression. L'inspecteur, qui la conduisait, la mena dans le fond du poste, vers un escalier en colimaçon qu'elle gravit sans mot dire.

Ils entrèrent dans une pièce où, derrière son bureau, le commissaire attendait en se limant les ongles. Le paquet se trouvait à sa droite, près d'une lampe à réflecteur.

— Asseyez-vous, dit sèchement M. Jory-Balard.

Et, tandis que l'inspecteur se retirait :

— Nous allons nous expliquer une bonne fois. Il le faut. Bien que votre attitude, en cette affaire, soit parfaitement explicable, je tiens à vous prévenir que votre propre intérêt est de ne pas vous obstiner à nier. Vous avez entendu la concierge et savez de quoi il s'agit.

— Pas encore, murmura faiblement De-

nise. Vous m'avez parlé d'un paquet, c'est
out.

— Précisément. Mais ce paquet, que je vais
ouvrir, contient une arme, celle du crime :
un couteau.

La jeune fille sentit un grand froid la saisir, et, s'accrochant aux deux bras du fauteuil,
se roidit. En même temps ses yeux se por-
tèrent sur l'objet entouré de papier dont le
commissaire, lentement, s'emparait pour le
lui mieux montrer.

— Voici, dit-il alors. A la forme, il est
évident que c'est un couteau. Constatez.

Elle devint blême.

— Constatez, répéta M. Jory-Balard en se
mettant debout et en s'approchant de Denise.

— Allons! prenez! soupesez-le! Non?
Vous ne désirez pas?

— C'est horrible, fit-elle d'une voix rauque. Ne me tourmentez pas ainsi.

Le commissaire feignit de ne pas entendre
et poursuivit :

— Je vous croyais plus raisonnable.

— Oh! supplia Denise, assez!

— Pourtant il a fallu placer cette arme dans un journal. Le sang devait être à peine sec...

— Mais non, je vous assure. Ce n'est pas vrai. Ce n'est pas moi.

— Alors, c'est lui?

La jeune fille poussa un cri.

— Voyons, lui dit le policier, répondez. Vous serez libre ensuite. Libre! Je vous donne ma parole.

— Non... non... non...

— Vous ne voulez pas être libre?

— Ce n'est pas lui, balbutia Denise. Je vous le jure. Je vous...

Et comme, à bout de forces, elle se passait la main sur le visage, son bras lourdement retomba et la malheureuse s'évanouit.

VI

La première pensée de la jeune fille, en sortant du commissariat, fut d'entrer dans un bureau de poste et d'envoyer un pneu à la banque pour s'excuser de son absence qui pourrait durer quelques jours. Elle ne crut pas devoir fournir d'autre explication. Puis elle acheta les journaux, les consulta hâtivement à l'angle d'une rue, au milieu des coudoiements des passants. Elle lisait fébrilement, fixant à peine son attention, recommençant les phrases qu'elle ne comprenait pas. Enfin, Denise rentra chez elle. Mme Fournier qui était encore au lit reconnut le pas de la jeune fille dans le couloir et appela :

— Denise! Où étais-tu?

— J'ai dû sortir.

Et tout de suite, pour éviter de donner des explications :

— Comment te sens-tu?

— Mal!

— Je vais te faire un peu de café.

— Ecoute, dit la mère. J'ai eu des cauchemars. Il me semblait parler à Jean.

Denise dut réunir tout son courage afin d'écouter la vieille femme qui, sans la regarder, gémit :

— Tu ne peux savoir combien c'est abominable. Je lui posais des questions. Il se taisait. Il avait l'air d'une ombre.

— Et alors?

— Une ombre! Plus je parlais. Plus il s'éloignait, se perdait...

— Mais, maman...

— Laisse que je te raconte, reprit Mme Fournier. J'avais beau ne plus le voir, il était là, pourtant, près de moi. Je le sentais.

Je l'ai supplié de m'avouer si c'était lui qui avait tué Marthe. Il n'a pas répondu.

— Ce n'est pas lui...

— J'ai rêvé aussi d'un couteau, geignit la vieille femme en s'agitant.

Denise dressa la tête.

— Il n'avait pas de couteau. Ce n'est pas vrai.

— Je te raconte mon rêve. Un couteau d'enfant... ridicule...

— Tu vois bien?

— Qu'est-ce que je vois? Mais non. Non. Je suis folle...

La jeune fille n'en put supporter davantage. Elle quitta sa mère, et se rendit dans la cuisine. Là, machinalement, comme elle l'avait fait la veille, elle alluma le fourneau à gaz et mit une casserole d'eau à chauffer. Une sensation bizarre l'envahit. Elle avait froid. Et, chose curieuse, elle se voyait debout près de la flamme du gaz comme si ce n'était pas elle qui demeurait ainsi immobile, attendant elle ne savait quoi, mais une autre, dont la

présence la rassurait. Aucun de ses gestes, aucune de ses attitudes ne lui échappaient. Elle
admettait que cette seconde Denise se fût sub-
stituée à sa propre personne, et, petit à petit,
le souvenir de l'ombre dont lui avait parlé sa
mère l'obséda de telle sorte qu'elle finit par
se fondre en elle et se chercher sans se trouver.

Ainsi tout s'expliquait, s'équilibrait. C'était
vraiment une ombre qu'elle était devenue, et
rien de ce qu'elle pouvait accomplir ne comptait. Un besoin d'évasion la poussait hors
d'elle-même, vers des limites absurdes, incon-
trôlables, un monde mystérieux de formes in-
consistantes où, par une influence maligne, la
présence de son frère lui était révélée. Elle
n'essayait point de comprendre ; la vague
conscience qu'elle avait de sa dualité lui suffisait et, lorsqu'elle revint dans la chambre
de sa mère, avec une tasse de café chaud, elle
n'éprouva nulle surprise de se retrouver dans
le décor familier et dit tout naturellement :

— Tiens, maman. Bois !

— Oui, folle ! murmura Mme Fournier.

Denise lui demanda :

— C'est à moi que tu parles?

La vieille femme la reconnut et dit, d'un air de doute :

— Je parle?...

— Pardon. Je croyais, fit Denise.

Et, présentant la tasse qu'elle tenait, elle aida sa mère à boire quelques gorgées.

— C'est vrai, reprit ensuite cette dernière, ma tête travaille. Je n'y suis plus. Jean est là?

— Jean va rentrer.

— Ah!

— Tout à l'heure...

— Et les journaux?

— Il n'y a rien dans les journaux, répondit la jeune fille.

Elle mentait. Les quatre ou cinq feuilles du matin, qu'elle avait achetées, en revenant du poste, s'occupaient longuement du crime. Certains articles donnaient le signalement de Jean et s'étendaient complaisamment sur le mystère dont s'entourait l'affaire. D'après l'opinion courante, le meurtre avait eu le vol pour mobile, et l'on faisait prévoir une arrestation prochaine sans préciser davantage. Denise avait compris qu'il s'agissait d'elle-même mais que, maintenant, on ne l'arrêterait pas, tout au moins pendant quelque temps. Ses dénégations persistantes, après son évanouissement, son effroi, son indiscutable sincérité, avaient frappé le commissaire. Bien qu'à regret, il ne l'avait alors point inculpée. Denise se rappela toute la scène. Elle se vit étendue sur le plancher, puis installée dans le même fauteuil d'où elle était tombée. Encore une fois on la harcelait de questions. Deux inspecteurs, dont elle ne s'expliquait pas la présence, la pressaient d'avouer, employant tour à tour la douceur, la persuasion, la menace; mais en dépit de sa faiblesse, la jeune fille s'en tenait à ses éternelles réponses : non, ce n'était pas elle qui avait jeté le couteau dans la cour, elle n'avait jamais vu cette arme, elle en ignorait l'existence. A la fin, il avait bien fallu qu'on dressât le procès-verbal de sa déposition et qu'on la laissât partir.

Combien de jours resterait-elle libre? N'allait-on pas revenir l'interroger et la mettre en présence de faits nouveaux qui permettraient au commissaire de la garder à sa disposition? Denise se reprocha soudain de n'avoir signalé à la police ni les allées et les venues de son frère, dans sa chambre, la nuit du crime, ni l'impression d'étonnement qu'elle avait alors ressentie. Cet aveu n'eût point comporté de graves conséquences. Au contraire. N'aurait-elle pas ainsi établi aux yeux des enquêteurs sa bonne foi et son évident désir de dire la vérité? Elle n'en eût ensuite que plus facilement agi au mieux des intérêts de Jean. Hélas! son tort avait été de se buter à l'idée que son frère était un assassin. Que pouvait-elle faire, à présent? Le mouchoir découvert constituait une charge accablante! Denise ne pouvait en douter, et tandis que sa mère réclamait les journaux, la jeune fille fut prise d'un désarroi si intense que, pour y échapper, elle courut s'enfermer tristement dans sa chambre.

— Non, non. C'est trop, s'écria-t-elle...
C'est trop.

Le timbre de l'entrée retentit. Effrayée, la
malheureuse se boucha les oreilles, mais on
sonna une seconde fois plus fort, et, de son lit,
Mme Fournier cria :

— Denise. Il y a quelqu'un.

— Ah! bien, répondit-elle.

La certitude qu'un policier se trouvait derrière la porte accentua son émoi. Pourtant elle
gagna le vestibule et, après une légère hésitation, ouvrit.

— Tout de même! fit alors un individu de
petite taille. Vous vous décidez. C'est pas malheureux.

Denise le reconnut.

— J'étais couchée, trouva-t-elle pour excuse. Entrez.

L'homme obéit. Il était coiffé d'une cas-
quette qu'il n'ôta pas et tenait un papier à la
main.

— Voilà, débita-t-il sans autre préambule.
Je viens rapport à la facture. Vous voudrez

bien me la régler. Y a du savon, des cristaux, de l'eau de Javel, plus un arriéré de quinze jours d'épicerie.

Denise prit le papier, et comme elle cherchait son sac, elle entendit le commerçant qui disait :

— Comprenez-vous. Après c' qu'était sur le journal, ma femme n'a pas voulu attendre...

— Elle a cru que je ne la payerais pas?

— Oh! ma foi non. Seulement...

Et, regardant autour de lui, dans la salle à manger où il avait suivi la jeune fille, il constata :

— Parole! Ils ont fait propre chez vous!

Denise allait répondre quand elle aperçut, tout à coup, sa mère à l'entrée de la pièce.

— Ah! tiens, M. Silvain, constata Mme Fournier. C'était vous?

Le fournisseur se retourna.

— Maman, expliqua Denise. M. Silvain n'avait pas confiance, il apporte sa note.

— C'est comme ça, maugréa ce dernier.

Après tout je ne suis pas obligé de vous accorder du crédit.

— Non, naturellement, riposta Denise. D'ailleurs, voici l'argent. Vous comptez?

— Bien... quatre-vingt...

— Et douze.

— Nous sommes d'accord, reconnut l'épicier en empochant la somme. N'empêche que pour vos réflexions, vous pourriez les garder.

Il dit encore à Mme Fournier :

— Comprenez-vous?

— Je vous en prie, jeta sèchement Denise.

Silvain n'insista pas. Il partit en faisant claquer la porte et la jeune fille, rangeant son sac, déclara d'un air calme :

— C'est normal. Tous vont venir.

— Jean aussi?

— Oh! Jean. Il faut attendre...

— Es-tu sûre que nous le reverrons? demanda la mère à voix basse.

Denise ne répondit pas. Cette visite imprévue changeait le cours de ses pensées, la rendait à elle-même, et sans qu'elle se l'expliquât, dissipait le malaise qui l'étouffait. Consultant l'heure à sa montre, elle reconduisit dans sa chambre Mme Fournier, en s'efforçant de la rassurer et d'aiguiller son attention vers d'autres sujets :

— Tiens, mère, assieds-toi, près de la fenêtre. Voici ton tricot... travaille un peu, cela te distraira. Non? alors je vais te donner tes cartes, tu feras une réussite.

La vieille dame résistait avec mollesse, mais bientôt elle commença de disposer méthodiquement le jeu sur le guéridon que sa fille avait placé devant elle. Cinq minutes après, son esprit, mobile comme celui d'un enfant, ne s'occupait plus que de la combinaison des « quatre as ».

Alors Denise revint dans la salle à manger et remit chaque objet en place. Elle avait besoin de réagir par des moyens physiques contre les frayeurs qui, depuis deux jours, la hantaient. Quand l'ordre fut rétabli en cette première pièce, la jeune fille se sentit mieux. Elle alla demander à sa mère si elle voulait prendre quelque chose, mais celle-ci ne répondit pas. Elle avait bien trop à faire avec sa dame de cœur qui opposait une résistance inattendue.

Une lumière grise tombait des vitres. L'avenue en était assoupie, engourdie. Aucun bruit, d'aucune sorte. Denise prêta l'oreille, s'approcha d'une fenêtre, regarda. Puis, lâchant le rideau, écouta encore une minute et passa dans la chambre de son frère où elle se mit à l'œuvre courageusement.

L'idée que l'adolescent était resté, entre ces quatre murs, après le crime, seul, toute la nuit, qu'il y avait vécu des heures affreuses, emplit bientôt la jeune fille d'une douloureuse pitié. Même si elle eût voulu oublier Jean, les vêtements qu'elle ramassait par terre, avec du linge, des livres, des chapeaux, des cravates, le lui auraient irrésistiblement rappelé. Elle avait beau tâcher d'être forte, la vue de ces objets brutalement jetés, pêle-mêle, sur le plancher, piétinés, retournés, lui serrait le cœur, et elle dût s'arrêter pour s'essuyer les yeux.

— C'est ma faute, songeait-elle. C'est moi qui ai eu l'idée de ces leçons chez Marthe. Sans cela, le malheur ne se serait pas produit.

Le mot « malheur » prenait pour elle une ampleur, une désolation sans borne et, plus elle le répétait mentalement, plus elle s'accusait de l'avoir provoqué. Jamais encore ces deux syllabes ne s'étaient imposées à Denise avec une plus désolante signification. Jamais encore elle n'avait, comme à présent, senti la fatalité l'accabler. Pourtant elle reprit son travail, s'y acharna et, peu à peu, l'activité fébrile qu'elle déployait lui permit de se ressaisir. En moins d'une heure, la chambre retrouva son apparence banale, correcte. Denise en ressentit une morne satisfaction, mais bientôt, il lui sembla que la présence invisible de son frère qu'elle avait, jusqu'à ce moment, devinée à ses côtés, s'éloignait, insensiblement.

A cet instant, quelqu'un sonna.

— Ah! murmura Denise. Encore!

C'était Mme Juif, la teinturière.

— Vous m'excuserez, commença-t-elle... mais j'ai profité de monter pour savoir comment vous allez. C'est bien triste !

— En effet. Pourtant, mon frère n'est pas coupable. Tout ce qu'on raconte est faux.

— Bien sûr !

— Vous avez votre note ?

— Justement. Elle n'est pas élevée. Un dégraissage d'imperméable pour ce pauvre M. Jean... deux robes...

Denise ne discuta pas. Elle régla la facture, puis, comme Mme Juif regardait autour de la pièce avec étonnement, la jeune fille lui dit :

— Vous voyez. On ne se douterait pas que tout a été mis sens dessus dessous...

— Non. Certainement.

La teinturière poussa un soupir et reprit :

— Pour vous dire vrai, je ne m'y attendais guère. A ce que prétend M. Silvain, c'était comme un champ de bataille, les meubles brisés, défoncés. Enfin, pis qu'on ne peut croire !

N'est-ce pas, quand ces messieurs de la police s'y mettent, ils n'y vont pas de main morte.

Denise secoua la tête.

— Et autre chose, demanda tout à coup l'intruse au moment de se retirer. Le mouchoir, avec du sang, qu'on a trouvé, où était-il?

— Dans le vestibule, fit Denise décidée à se dominer.

— Ah! dans le vestibule...

— Oui.

Mme Juif eut un petit frisson et, se dirigeant aussitôt vers la sortie, elle s'informa :

— Ici?

— Là, derrière, indiqua Denise, désignant le porte-parapluie... Un inspecteur l'a découvert, roulé en boule.

Cette fois, la commerçante n'insista pas. Ces réponses, si nettes, l'effrayaient. Elle entr'ouvrit le vantail, discrètement, et sans saluer, disparut.

— Au revoir, cria Denise.

Un moment elle écouta dans l'escalier les

pas précipités de Mme Juif et perçut, en même temps que le bruit rapide de cette fuite, de vagues chuchotements.

— Tiens, songea-t-elle alors, les autres l'attendaient. Elle va leur raconter qu'elle a eu peur, que j'ai tenté de l'effrayer. C'est le comble!

Elle haussa les épaules, rentra dans l'appartement. Allons! il fallait vivre, quand même, aller aux provisions. Son chapeau vivement mis, son filet à la main, Denise descendit les premières marches de l'escalier. Les chuchotements n'avaient pas cessé. Elle s'arrêta, se pencha au-dessus de la rampe. Plusieurs femmes rassemblées devant la loge de la concierge parlaient mystérieusement, sans s'occuper de Mme Juif.

— Qu'est-ce qu'il y a donc? demanda cette dernière.

Mme Surgère lui montra le carreau de la loge. Denise se pencha davantage et, ne pouvant, de l'endroit où elle se trouvait, se rendre compte de ce qui se passait, descendit cinq ou six marches. Les commères tournées vers le repaire de Mme Courte, Denise espéra pouvoir franchir l'obstacle sans être aperçue d'elles et sortir.

Ses calculs furent déjoués. Elle était à peine au bas de l'escalier que, par hasard, Mme Trinquet se retourna et dit :

— Tiens! Regardez!

Les têtes obliquèrent vers Denise qui cessa d'avancer. Un murmure courut dans le groupe.

— Par exemple! Il ne manquait plus qu'elle! murmura, en joignant les mains, Mlle Cossurel.

— En effet, répliqua la Milou. Comme culot, c'est fameux.

— Qu'est-ce qu'elle vient fiche, ici? ajouta une mégère en savates. Elle devrait avoir honte!...

L'indignation monta aux joues de Denise qui fit quelques pas bravement.

— C'est de moi que vous parlez?

— Parfaitement. Venez voir.

Un faire-part, encadré de deuil, fixé contre une vitre de la loge, lui apparut. C'était celui de Marthe Halluin. Denise baissa les yeux et renonçant à ses provisions, voulut fuir. Mais alors, la Milou, qui s'était portée au premier rang, lui jeta sur un ton féroce :

— Mais non. Vous trottez pas si vite, mam'zelle Fournier. Approchez et lisez. Vous y avez bien droit. Lisez donc. C'est pour l'enterrement.

VII

Il s'établit dès lors, autour de la jeune fille, une sorte de surveillance qui s'exerçait à tout instant. Nul ne la défendait plus. Les timides étaient devenus hardis. Ils guettaient, surveillaient Denise, l'épiaient, venaient écouter à sa porte ou bien, quand elle sortait, se mettaient à la fenêtre et la suivaient des yeux. Désireuse de leur échapper, la malheureuse hâtait le pas et ne respirait que lorsqu'elle avait enfin tourné l'angle de l'avenue. Le jour des obsèques, une main facétieuse avait allumé une bougie devant le seuil des Fournier et étalé sur le paillasson le faire-part de Marthe. Cette flamme près du papier funèbre et, plus

tard, dans l'après-midi, plusieurs lettres anonymes, remises par la concierge, avaient épouvanté Denise. Les lettres étaient abominables.
Elles exhortaient la « sœur du meurtrier » à
prier pour la morte. De grandes croix, des
couteaux, y étaient dessinés. En outre, quelques billets contenaient des menaces, qu'on
mettrait à exécution au cas où les recherches
de la police demeureraient infructueuses.
« Indique où est ton frère, ordonnait-on. En
protégeant le criminel, tu avoues ta complicité. Mais patience... La mort de Marthe sera
vengée... (cette phrase soulignée à l'encre
rouge)... par moi. » C'était la signature.

De la journée entière, Denise n'avait osé
sortir. Mme Fournier ignorait tout de cette per-
sécution. Elle passait dans la chambre de Jean
de longues heures et pleurait. Pour que la
vieille dame acceptât un peu de nourriture, sa
fille devait lui jurer que le jeune homme, à
son retour, serait mécontent d'apprendre
qu'elle n'avait point voulu manger. L'infortunée, alors, se laissait faire. Mais à chaque bou-

chée il fallait insister, la convaincre. Et elle
retombait à ses larmoiements, à ses plaintes
que Denise, malgré ses efforts, ne pouvait en-
diguer.

Sans sa mère, elle serait retournée à la banque et y aurait trouvé quelque répit. En se
plongeant dans les documents de comptabi-
lité qu'on lui confiait quelquefois, ou en ta-
pant à la machine les longs rapports bourrés
de chiffres qui exigeaient une attention cons-
tante, elle aurait oublié le drame. Au surplus,
ses collègues n'étaient point de méchantes
gens. Dans cette ruche bourdonnante d'activité sagement ordonnée, chacun avait trop de
travail pour s'occuper des autres. Hélas! l'état
de Mme Fournier interdisait à la jeune fille de
la laisser trop longtemps seule. Déjà lorsqu'elle allait faire ses emplettes, la jeune fille
ne s'attardait pas en route et rentrait anxieuse
de savoir si personne, durant son absence,
n'était venu. A la crainte des lettres anonymes
s'ajoutait la terreur qu'un de ces lâches corres-
pondants ne passât des menaces aux actes et

ne se vengeât sur la mère du mal qu'il voulait
à la fille. Le supplice devenait abominable.
Denise perdait la tête. Il lui semblait que partout autour d'elle, les gens la poursuivaient, la
soupçonnaient. Un matin, elle téléphona d'un
bar à son chef de service, et elle eut la certitude que, derrière la cloison de la cabine,
quelqu'un s'était glissé pour surprendre sa
conversation. Depuis, elle en éprouvait par
instants une indicible impression de stupeur
et d'effroi.

Ses appréhensions ne la trompaient pas. En
effet, quelqu'un s'était sournoisement intro-
duit dans l'étroit couloir où se trouvait le poste
téléphonique du bar, et avait écouté la com-
munication. Quelqu'un dont l'apparence et
l'attitude pouvaient passer partout inaper-
çues. Un de ces êtres qui tiennent du maqui-
gnon, du sous-off en civil, du banlieusard. Ce

n'était pas la première fois qu'il surveillait
Denise. Depuis la découverte du crime, il ne
l'avait, pour ainsi dire, jamais quittée. Son col-
lègue, après l'interrogatoire chez la concierge,
s'était habilement arrangé pour le prévenir
au moment où la jeune fille montait l'escalier.
Il l'avait alors vue et cela suffisait. Doréna-
vant elle ne pouvait pas lui échapper. Une
partie de la nuit, arpentant le trottoir, cet
homme ne s'était point écarté de la maison.
Ses semelles feutrées se déplaçaient silencieusement sur les pavés. Lui-même avec son chapeau mou, son pardessus de voyage d'une couleur indécise, sa canne à tresse de cuir, son
air neutre, n'avait guère attiré l'attention. Le
lendemain, dès l'aube, il était revenu. Il rô-
dait çà et là, sans que l'on s'occupât de lui,
faisant en quelque sorte corps avec l'atmosphère du quartier et quand Denise, à la sortie
du commissariat, était passée au bureau de
poste, puis avait acheté les journaux, il ne
l'avait pas un instant lâchée.

Il ne s'agissait plus de cette hostile curiosité

dont la jeune fille s'était sentie, dès le début,
entourée par ses voisins. La surveillance du
policier avait un autre caractère. Il n'y entrait
ni malveillance ni désapprobation. C'était un
mélange de mollesse, de bonhomie, de séré-
nité, de patience. L'homme avait l'air de s'occuper de choses sans importance ; il s'arrêtait
devant une affiche, examinait les étalages ou,
parfois, regardait les gamins jouer. On le prenait pour un vague retraité, un peu gâteux,
qui s'efforçait de tuer les heures, tout en gar-
dant au cœur la nostalgie de son bureau. Et
cependant, dès que la jeune fille était dehors,
rien de ce qu'elle faisait ne lui demeurait inconnu.

Denise ne s'en était jamais doutée.

Lorsqu'elle tournait l'angle de l'avenue et
s'engageait dans une rue voisine, heureuse
de se sentir un peu moins espionnée, la sensation d'être suivie ne l'effleurait même pas.
Elle allait aussitôt acheter les journaux, les
parcourait rapidement près du kiosque, puis

se rendait chez les fournisseurs habituels et erminait ses courses par la crèmerie.

C'était une boutique peinte en blanc dont es deux paniers d'œufs qui encadraient le seuil, le petit comptoir-caisse en faux marbre de l'intérieur et les bidons de lait eussent totaement passé inaperçus sans le mystère de ses volets toujours à demi-clos.

Lorsque le commerçant s'était, cinq ans plus tôt, installé dans la rue, la vue de ces volets n'avait point fait bonne impression mais comme Firmin Blache accordait du crédit sans trop de résistance et vendait des articles qui n'étaient pas sensiblement plus avariés que ceux de ses confrères, on avait fini par admettre qu'il était libre de préférer la pénombre au grand jour et de s'arranger à sa guise. Blache pouvait avoir une quarantaine d'années. Il était grand, sanguin, débonnaire. Aucun détail vraiment caractéristique ne frappait en cet individu massif aux allures lentes, au front buté, au poil roux, au regard terne un peu fuyant. De forte corpulence sous sa blouse de toile bleue, il était d'une vigueur enviable et avait fait une fois l'admiration d'un garçon livreur en mettant à bout de bras un bidon de quarante litres de lait. Son pouce énorme pouvait cacher entièrement une pièce de cinq francs. Toutefois si puissantes qu'elles fussent, avec leurs doigts carrés, leurs ongles durs comme de la corne, leurs nodosités parsemées de poils roux et leurs grosses veines, les mains de Firmin Blache n'en possédaient pas moins une extraordinaire adresse. Elles savaient, comme en se jouant, faire glisser le fil dans les mottes de beurre, et détacher, à un millimètre près, le demi-quart, la livre ou le kilo. C'était merveille de voir ces pouces monstrueux et ces index saisir délicatement, sans jamais les écraser, les fragiles œufs du jour ou les petits suisses aux blancheurs de fillettes malsaines.

Firmin Blache n'habitait pas son arrière boutique; il la trouvait trop exiguë et logeait au cinquième étage du même immeuble que les Fournier.

Denise était de ses clientes. En dépit des haines qui s'étaient coalisées en face de la jeune fille, Blache lui avait conservé toute sa sympathie. La malheureuse se rappelait sans doute que, le lendemain du crime, le crémier était rentré ivre, en chantant. Mais elle ne lui tenait pas rancune d'avoir fait alors tant d'esclandre. Il avait pour excuse d'ignorer le malheur survenu. D'ailleurs, on ne l'entendait plus maintenant, même quand il avait bu, et, quoiqu'on fît quelquefois allusion dans sa boutique devant Denise au meurtre de Marthe Halluin, il ne prenait jamais parti.

— Allez donc savoir, disait-il, ce qu'a bien pu se passer. J'étais pas là... ni vous.

— Pourtant, monsieur Firmin, protestait la cliente, y a des preuves.

— Possible !

— Et des preuves qu'est des preuves !

— Oui, admettait le gros homme en hochant la tête ; mais en même temps, il désignait Denise à la bavarde et, d'un geste énergique et discret, lui ordonnait de se taire.

De tous les locataires, il paraissait le seul à douter de la culpabilité de Jean. Bien qu'on ne pût savoir le fond de sa pensée, on devinait qu'il s'était fait une opinion sur le crime et la gardait pour lui. Sa bienveillance réconfortait Denise. Dès qu'elle arrivait dans la boutique, elle se sentait moins malheureuse. Firmin Blache venait à sa rencontre, s'empressait, lui pliait ses paquets et, l'escortant jusqu'à la porte, la saluait.

Le cinquième jour, quand les journaux, à court d'informations, ne consacrèrent plus à l'affaire que quelques lignes, l'attitude du crémier devint encore plus prévenante.

Denise en fut touchée. Le lendemain elle crut s'apercevoir que le gros homme cherchait à lui parler, mais comme il y avait du monde, elle ne s'attarda pas. Au moment de partir, tandis qu'elle empoignait son filet, un morceau de papier sur lequel Blanche avait inscrit le compte, tomba par terre. Denise le ramassa. Une fois dehors, elle regarda machinalement ce papier, et fut surprise de consta-

ter que, sous les chiffres, une phrase était
tracée, d'une grosse écriture hâtive. La jeune
fille s'arrêta, puis, au comble de la stupéfac-
tion, elle lut ces simples mots :

« Attention, on vous file. »

Aussitôt, son étonnement se changea en terreur et elle fut sur le point de retourner chez
le crémier pour lui demander des explications
mais elle se ressaisit et, au prix d'un immense
effort, se dirigea vers sa maison. Les choses
fuyaient et se confondaient sous ses yeux. Il
lui semblait qu'un abîme s'ouvrait devant chacun de ses pas et une sueur d'angoisse la bai-
gnait tout entière.

— Mon Dieu ! fit-elle désespérée, tout le
monde est contre moi. Ils vont encore venir,
m'interroger.

Elle se trouvait à une centaine de mètres
du porche d'entrée quand elle aperçut un adolescent qui, le dos tourné, paraissait attendre.
Denise crut que c'était Jean et se mit à trembler. Mais elle reconnut vite un ami de son
frère, qui, le dimanche, venait souvent le

chercher pour sortir. Le jeune homme accou-
rut à sa rencontre et dit :

— Donnez donc votre filet, mademoiselle.
Je vais le porter. Qu'avez-vous?

— Mais... rien...

— Eh bien! fit-il comme elle se reculait.
Je suis André... André Parent. Je descends de
chez vous. J'ai sonné. Personne n'a répondu.

Denise laissa le nouveau venu la débarrasser et monta l'escalier avec lui. Elle l'écoutait
sans bien comprendre, car elle était encore
sous le coup de l'émotion qu'il lui avait causée.

— Quand j'ai sonné, tout à l'heure, expli-
quait-il, on ne m'a pas ouvert, mais vos voisins sont sortis, m'ont examiné drôlement.

Comme Denise tournait la clef et le faisait
entrer, il murmura :

— Vous avez des nouvelles?

La jeune fille le mena dans la chambre de
Jean et alla voir si sa mère n'avait pas besoin
de ses services. Elle revint un moment après.

— Vous avez des nouvelles? répéta-t-il.

— **Non. Aucune.**

André Parent rougit et balbutia :

— Vous savez que je suis un ami. Alors, n'est-ce pas, au cas où je puis être utile à quelque chose, usez-en largement. C'est pour ça que je suis venu...

— Merci.

— Allons donc! C'est tout naturel, reprit-il aussitôt. Ce que je fais pour Jean, Jean l'aurait fait pour moi.

— Avez-vous réfléchi, dit alors la jeune fille, qu'en vous montrant ainsi, vous pourriez être inquiété?

— Comment cela?

Denise prononça lentement :

— La police!

Et plus bas, prise de peur :

— Ecoutez... sur l'avenue ou, peut-être même en bas, chez la concierge, un homme, que je n'ai jamais vu, sait que vous êtes ici...

— Bah! c'est sans importance.

— Il va vous suivre.

— Bien sûr!

— Vous serez convoqué par le commissaire. On croira que Jean vous envoie.

— Si c'était seulement vrai, soupira l'adolescent. Si je savais où il se cache!

Mais il se ravisa et soupira, en regardant Denise :

— Le malheur est que, vous aussi, vous l'ignorez. Nous sommes là, impuissants.

Puis, changeant tout à coup d'idée :

— Ce policier dont vous parlez, ce n'est pas moi, mais vous peut-être, qu'il va venir trouver.

— Oh! déclara Denise, moi, j'ai pris l'habitude.

— Mais comment savez-vous, puisque vous ne l'avez pas aperçu, que cet homme vous espionne?...

Le souvenir de Blache s'imposa brutalement à l'esprit de la jeune fille qui, détournant les yeux, garda le silence. Elle n'osait mettre André au courant de la façon bizarre dont le crémier l'avait avertie. Entre elle et cet individu existait maintenant comme un secret qu'elle ne trahirait pas. Et cette pensée lui donna le désir de revoir le gros homme.

— Oui. J'irai lui parler, se promit-elle. Aujourd'hui. Tout à l'heure.

Elle s'imagina, dehors, courant vers la boutique et, en même temps, la crainte d'être encore suivie la fit se raviser.

— Vous ne voulez pas me répondre? dit André tristement. Pourquoi?

— Non, non. C'est impossible...

— Je ne demande qu'à vous aider.

Denise secoua la tête négativement mais, peu après, l'idée lui vint d'écouter le jeune homme. Puisqu'il insistait de la sorte, pourquoi refuserait-elle ses offres?

— Eh bien! déclara-t-elle, quand vous vous en irez, vous pouvez me rendre un grand service. Il faut que le policier se mette sur vos traces. Arrangez-vous pour obtenir ce résultat. Revenez au besoin vers la maison comme si vous désiriez me revoir, puis ayez l'air de vous raviser et, lorsque vous serez certain d'être suivi, repartez... vite.

— C'est tout?

— Oui.

Elle pensait avoir ainsi le temps d'aller chez le crémier sans aucun risque.

— Comptez sur moi! promit André.

Il prit alors congé de Denise, et la jeune fille courut à sa fenêtre d'où elle le vit exécuter, point par point, la consigne. Alors elle gagna le vestibule, descendit à son tour l'escalier et, sans se soucier de la concierge, sortit rapidement.

VIII

Quand Denise pénétra chez le crémier, la boutique était vide et lui-même se trouvait dans son arrière-salle qu'il balayait. Un sourire équivoque passa sur son visage. Il posa le balai contre le mur, puis s'approcha de la jeune fille.

— Vous désirez? s'informa-t-il avec la politesse banale des commerçants.

Denise balbutia, troublée :

— Je viens à cause de ce papier que tout à l'heure... Enfin, monsieur Blache... je l'ai lu... et...

Elle pâlit, ferma les yeux, les rouvrit et ajouta très vite :

— Je vous suis reconnaissante de m'avoir avertie; mais à présent j'ai peur. Tout me fait peur.

L'homme jeta un regard furtif dans la direction de la rue.

— Oh! il n'y a personne, lui dit Denise qui surprit ce coup d'œil. Je me suis arrangée pour n'être pas suivie.

— Ça vaut mieux.

— Sinon, je ne serais pas venue, vous le supposez bien...

Et comme le crémier paraissait incrédule :

— Je vous affirme qu'il n'est pas là, murmura-t-elle... Non. J'en suis sûre. Vous le connaissez?

— C'est un petit, répondit le gros homme : il traînait toujours par ici, au début... ou bien il allait au bar, dans ce bar qui est sur l'avenue, pas bien loin de notre maison et là, il se mettait derrière le brise-bise. Des gars pareils, on s'en passerait. Tenez, il y a trois jours, quand une cliente parlait du crime, il était près de la porte, à vous attendre...

— Ah! fit Denise qui cherchait à se souvenir... près de la porte?

— Un pardessus gris, un chapeau noir, des
semelles de crêpe, une canne à bout de fer
pointu et à tresse de cuir. Vous êtes partie si
vite qu'un peu plus, vous vous jetiez dans ses
pattes.

— Non... je ne me rappelle pas... je ne vois
pas...

— Enfin, conclut le crémier. Vous avez
son signalement. Ça peut toujours vous être
utile.

La jeune fille répéta, sans comprendre :

— Utile?

— Je crois bien. Des fois que vous sauriez
où se planque votre frère, et que vous essaye-
riez de le joindre, soyez prudente...

— C'est juste.

Blache haussa les épaules.

— Vous, dit-il, ça fait plaisir à constater :
vous êtes fine. En deux mots, vu, compris,
d'accord. Mais question de causer...

Il cligna de l'œil :

— Des clous!

Denise le regarda, saisie.

— Parfaitement, affirma-t-il. C'est très bien. Discrète et tout, j'aime ça. Une supposition que vous auriez la langue trop longue. Un mot en amène un autre. On a confiance. On se laisse aller. Après, on le regrette.

— Monsieur Blache, répliqua Denise, vous vous trompez. Je ne suis pas si forte que vous semblez le croire. Loin de là! Depuis que Jean a disparu...

— Mais je ne vous demande rien, interrompit le crémier. Croyez-moi. Je serais à votre place, je la fermerais.

— Qu'est-ce que vous voulez dire?

— Moi?

— Oui. Pourquoi parlez-vous ainsi? Ce n'est pas bien. Si je savais où est mon frère, je ne serais pas ici à vous causer du dérangement. Je m'occuperais de lui.

Le commerçant eut un petit rire, et plongeant ses énormes mains dans la poche de son tablier, il contempla Denise d'un air si singulier que celle-ci perdit contenance. L'attitude de cet homme la choquait, lui paraissait inexplicable et elle se demandait s'il ne valait pas mieux cesser l'entretien lorsque son interlocuteur reprit :

— Ecoutez, mademoiselle Fournier. Si vraiment vous jurez de garder pour vous, mais pour vous seule, une certaine chose... je veux bien vous la confier. C'est grave...

Il renchérit :

— Très grave !

La jeune fille s'approcha de lui.

— Jurez d'abord, exigea-t-il.

— Sur ma vie, fit Denise d'une voix sourde. Je vous en prie. Parlez !

D'un léger signe de tête, Blache indiqua la direction de son arrière-salle et, tandis que la jeune fille se hâtait d'obéir, il s'assura qu'il n'y avait personne dehors. Puis, lentement, il la rejoignit.

Cette pièce où le crémier se tenait d'habitude, quand les clients le laissaient en repos, était meublée d'un petit poêle, d'une table

pliante et ronde, à pieds tournés et couverte
d'une toile cirée, d'un buffet de cuisine, de
quelques chaises. Des caisses, des bouteilles de
lait s'empilaient dans un angle et une mé-
chante porte vitrée, qui donnait sur la cour,
laissait filtrer par ses carreaux une clarté blafarde. La pièce sentait le lait aigre et le vin.
Sur la table, un litre aux trois quarts vide, un
verre et un paquet de tabac composaient une
espèce de nature morte que des journaux ou-
verts et dépliés recouvraient à demi. La vue
de ces journaux étonna Denise. Elle eut un
vague pressentiment de ce que le crémier
allait dire et, quand il vint vers elle, sa présence lui causa un malaise obscur qui la fit
s'écarter.

— Craignez rien, grogna le gros homme.
La chose dont il s'agit remonte au lundi soir,
après la levée du corps. J'avais fermé ma boîte
et j'étais allé voir. Si vous vous rappelez, il
pleuvait...

— Eh bien?

— J'ai assisté au départ. Et une fois le fourgon disparu... Oui, c'est bien ça, je suis revenu ici. Je me trouvais sur le devant de ma boutique, à regarder les gens aller, venir. Votre frère est passé contre moi.

— Jean?

— Tel que je vous le dis. Il n'était pas nu-tête, comme les canards l'ont écrit, tant qu'ils sont, mais il portait un chapeau mou rabattu sur les yeux, un imperméable.

— Vous en êtes sûr?

— Un imperméable noir, en caoutchouc. Si j'en suis sûr? Je le connais, M. Jean. Depuis cinq ans que j'habite le quartier, songez! Combien de fois que votre frère est venu chercher le lait à votre place! Donc, il s'approchait de ma boutique, le long des maisons. Il n'avait pas l'air d'hésiter. Il allait droit devant lui. Alors un moment il s'est arrêté, comme s'il était surpris de ne pas rencontrer quelqu'un sur qui il comptait. Puis il a continué sa route.

Les joues en feu, les oreilles bourdonnantes, Denise répliqua :

— Voyons, monsieur Blache, Jean n'a jamais eu de caoutchouc noir. Son imperméable est clair, avec une martingale.

— Je vous dis ce que j'ai vu, déclara le crémier, un point c'est tout. Qu'est-ce que vous voulez que ça me fiche de vous raconter que son caoutchouc était clair ou foncé? Ça m'avancerait à quoi? Seulement, j'ai eu peur pour lui, ce soir-là. Je me suis pensé : « S'il recommence, il sera frit. »

— Et vous l'avez revu?

— Non. Jamais.

— Quelle folie! s'écria la jeune fille. Commettre une pareille imprudence!

— C'est vouloir se faire prendre, grogna l'homme en étalant sur la table sa main droite.

Denise, regardant cette main, demeura fascinée.

— Ben quoi? de quoi? fit alors Blache, y a pas à discuter. Si le petit remet les pieds dans les parages, il est bon.

Désignant ensuite la haute pile des journaux, il déclara :

— J'ai tout lu. Constatez. Tout et tout. Je puis donc vous parler en connaissance de cause. Vous saisissez? Eh bien! au cas où votre frère...

Denise l'interrompit :

— Une question... une seule, monsieur Blache. Ce que vous venez de me raconter, au sujet de Jean, vous ne l'avez confié... à personne?

Le gros homme ricana.

— Non, grogna-t-il ensuite. Rassurez-vous. Je ne suis pas de la police.

— Répondez, insista la jeune fille. A personne?

— A personne qu'à vous, grommela-t-il impatienté. Parole! Vous ne vous en doutiez pas?

Il s'assit pesamment sur une chaise, près de la table et, prenant au hasard un journal, se mit à le feuilleter. C'était un magazine policier qu'illustraient des photographies. Un article commentait l'assassinat, sous ce titre : « Quand l'amour tue. »

— Il n'y a pas, au moins, le portrait de
mon frère? s'informa Denise aussitôt.

— Mais si.

Il tourna une page.

— Là, au milieu, à côté de la morte. Vous
voyez?

La jeune fille s'empara du journal. Une
photo, qui devait remonter au début de leur
liaison, représentait Marthe, en toilette d'été,
et Jean, avec un chapeau de paille. Le cliché
avait été pris au Bois, un dimanche. Denise se
rappela très bien que, pour éviter que sa
mère ne la découvrît, Jean portait cette photo
avec lui. Marthe devait également posséder
une épreuve. Et c'était cette dernière, commu-
niquée par la police, qu'on voyait reproduite.

— Oui, c'est bien lui, dit l'homme toujours sur sa chaise. Elle aussi est ressemblante,
avec son air de ne pas y toucher.

Il avait repris le journal et il regardait la
photo sans que la jeune fille pût discerner la
moindre émotion sur ses traits. Enfin, se le-
vant en silence, il passa dans le magasin.

Denise l'accompagna.

— Monsieur, supplia-t-elle, les mains tendues. Si vous saviez, si vous...

Mais Firmin Blache ne semblait pas disposé à continuer l'entretien.

Il inspecta les abords immédiats de la rue, puis, d'un ton naturel :

— Restez derrière, ordonna-t-il. Je veux d'abord me rendre compte si vous pouvez vous trotter. Bougez pas !

— Quand vous reverrai-je? s'enquit timidement Denise. Comment faire? Où vous retrouver?

— Pas ici, ronchonna le crémier. D'ailleurs, j'ai plus rien à vous dire.

Il ouvrit d'une poussée la porte et, sans répondre au salut de la jeune fille, attendit qu'elle partît.

IX

A la suite de cette entrevue, Denise évita soigneusement de retourner chez le crémier. Quand elle passait devant sa boutique, elle changeait de trottoir et, chaque fois, l'impression que cet homme cessait de servir ses clients pour la suivre des yeux, ravivait ses transes.

La malheureuse cherchait à s'expliquer l'intérêt que Blache lui témoignait. Elle ne comprenait pas non plus qu'il eût pour Jean une pareille sympathie. Cela lui paraissait bizarre et l'effrayait. Il n'y avait aucune raison que le commerçant ne se rangeât pas à l'avis général. Etait-ce parce qu'il éprouvait pour elle un désir physique? Non, rien n'autorisait la jeune fille à risquer une semblable supposition. Même seul en sa présence, dans cette arrière-boutique obscure, il s'était montré d'une absolue correction. Alors? Où trouver le motif de son attitude? Etait-ce un fou, un obsédé? A la pensée qu'elle avait pu prendre au sérieux les confidences d'un dément, Denise se demandait à quelles raisons elle avait obéi : mais elle repoussait vite l'hypothèse de la folie. Sous son apparence indifférente, le crémier devait cacher de mystérieuses intentions. Certaines de ses allures impliquaient une dissimulation bien arrêtée. Malgré son désir d'être défendue, la jeune fille, quoi qu'elle fît, éprouvait maintenant à l'égard du gros homme, un sentiment de défiance, et même de répulsion, qui la portait à voir en Firmin Blache un ennemi de plus. N'avait-il pas, d'abord, tenté de l'affoler, puis de la confesser? N'avait-il pas voulu, en invoquant cette prétendue rencontre de Jean, se faire donner son signalement? Denise se reprocha de s'être laissée prendre à cette ruse grossière. Si peu qu'elle en eût dit, au sujet de l'imperméable, elle avait trop parlé. Elle trembla pour son frère, et, dans son désarroi, craignit d'avoir ainsi facilité les recherches de la police. Tôt ou tard, celle-ci finirait par avoir raison du fuyard. Jean n'était pas de taille à lutter contre elle. S'il avait échappé jusqu'à ce jour, on ne pouvait espérer qu'il en fût ainsi bien longtemps. De lui-même, il se livrerait. Ou il tomberait dans un piège.

— C'est pour savoir exactement quels étaient les vêtements de Jean que le crémier m'a parlé du caoutchouc noir, du chapeau, soupira Denise. Ce n'est pas vrai! C'est un mouchard. Il n'y a qu'à regarder sa boutique, avec ses volets à moitié fermés. Ça saute aux yeux!

Consternée de n'avoir pas plus tôt tenu compte de ce détail, la jeune fille se dit qu'elle avait été bien naïve pour ne pas avoir repoussé la protection de Firmin Blache. Mais tant d'hostilité, de haine sourde entouraient la jeune fille qu'elle en était venue à considérer la mystérieuse boutique comme un refuge. Le demi-jour qui y régnait la rassurait, calmait ses nerfs. Elle s'y sentait, pour un moment, à l'abri des regards malveillants ou curieux des gens qui l'épiaient. Enfin, cette façon de la prévenir qu'elle était prise en filature, avait achevé de dissiper les fâcheuses impressions que le gros homme inspirait à tout le monde, dans le quartier. Maintenant, lorsqu'elle le devinait à l'intérieur de la crèmerie en train de l'observer toutes les fois qu'elle passait vite sur le trottoir, la jeune fille n'éprouvait pas seulement une horreur instinctive, mais une sorte de trouble, d'envoûtement. Elle avait beau presser le pas et fuir sans se retourner, elle n'était occupée que de ce personnage dont l'insistance prenait chaque jour, sur elle, un pouvoir grandissant. A la tombée de la nuit surtout, quand la lueur bleuâtre du bec Auer, éclairant la boutique, permettait d'apercevoir le commerçant assis derrière sa caisse en lisant un journal, il fallait que Denise apportât plus de soin à se surveiller. Elle redoublait alors d'efforts et d'attention. La vue de Firmin Blache lui causait une peur maladive, mais, en même temps, la tentation d'entrer chez lui, de parler du crime et d'apprendre s'il ne savait rien de nouveau sur Jean, s'emparait de la malheureuse et la bouleversait.

Un soir, elle n'y tint plus. L'avenue déserte, avec les lumières des hôtels, des réverbères avait l'air endormi. Denise alla jusqu'au bout du trottoir et revint sur ses pas. Elle ne découvrit rien qui pût la détourner de son projet. La certitude de n'être point suivie lui fit croire, un instant, que le crémier ne l'avait avertie qu'afin de l'effrayer, puis de gagner sa confiance et le calcul qu'elle prêtait à cet homme lui parut odieux. Elle ne pouvait vivre plus longtemps dans cette terreur d'un invisible espion. Il fallait qu'elle perçât les intentions de Blache. Aussi, sans se hâter, et se dissimulant le plus possible le long des magasins, elle s'approcha de celui du crémier et regarda. La flamme crue du gaz accentuait les reliefs du visage du gros homme et en accusait les méplats. Entre ses mains puissantes, il tenait un journal qui accaparait toute son attention. Ce détail frappa la jeune fille car, depuis plusieurs jours, la presse ne contenait plus d'information sur le crime. Après en avoir déformé le mystère par des commentaires de toute sorte et hasardé les pires extravagances, elle classait l'affaire, en réservant son opinion. Denise n'avait pas découvert, dans les feuilles du soir, le moindre entrefilet. Celles du matin non plus n'en renfermaient aucun. Obsédée comme elle l'était et ramenant tout à ses propres préoccupations, la jeune fille ne supposait pas que Firmin pût demander à un journal d'autres renseignements que ceux qu'elle-même y eût cherché. Une chose l'intriguait. Les lèvres du gros homme tremblaient convulsivement. On eut dit qu'il parlait à un invisible interlocuteur.

Poussant alors la porte du magasin, Denise entra. Elle s'aperçut immédiatement que le crémier lisait cet ancien magazine où avait paru le double portrait de son frère et de

Marthe. Mais elle n'eut guère le temps de
s'arrêter à cette idée car Firmin se leva et dit
avec moins d'étonnement que d'ennui :

— Comment, c'est vous?

Denise répondit tristement :

— C'est moi, oui. Vous voyez. Ce n'est que
moi.

— Je ne vous adresse pas de reproche, dit
Blache. Mais puisque vous savez que je n'ai
plus rien à vous communique, je vous avoue :
je suis surpris...

Il resta un instant silencieux, puis, d'un
air calme :

— Vous avez quelque chose à m'apprendre?

La jeune fille ne trouvant plus ses mots, il
poursuivit :

— Remettez-vous. Allons! C'est bizarre
tout de même! Vous entrez. On croirait
qu'vous voulez me parler et... quoi? Qu'est-ce
qu'il y a?

— Il y a, déclara Denise, que, depuis notre
dernière conversation, j'ai réfléchi.

— Sans blague?

Elle hésita quelques secondes puis donna l'excuse qu'elle avait inventée pour justifier sa visite :

— C'est à propos du caoutchouc de Jean, vous savez. Vous affirmiez qu'il était noir, sans martingale, et je soutenais le contraire...

— On peut se tromper, riposta le crémier. Mon impression n'était qu'une impression. Comme je vous l'ai décrit, le manteau que portait votre frère, la fois que je l'ai vu, était un manteau long, en caoutchouc... Censément un ciré, si vous préférez, qui lui tombait très bas...

— Justement, fit Denise. J'ai cherché parmi ses affaires et retrouvé l'imperméable.

— Ah! vous voyez? Je ne m'étais pas trompé.

— C'est moi, murmura la jeune fille, aussi j'ai voulu vous l'apprendre, m'excuser...

Le commerçant eut un haussement d'épaules et répondit :

— Ça n'a pas d'importance. Quant à vous

excuser, entre nous, inutile. Il fallait pas vous déranger. Qu'est-ce que vous voulez bien qu'une différence de couleur ou de vêtement puisse fiche? Rien du tout. D'ailleurs, avec ou sans caoutchouc, l'essentiel pour le petit est que la police ne l'ait pas repéré.

Au mot « police », Denise courba le dos, mais elle se redressa instantanément et dit :

— Je pense bien!

— Et comment! s'exclama Blache. Dépister ces messieurs, c'est pas toujours commode. Pourtant : hop! sautez! disparaissez! Ni vu ni connu! Le gosse peut être content.

— Moi aussi, fit Denise.

— Ça s'comprend! Un gamin de son âge s'en tirer, comme jusqu'à présent, et brouiller toutes les pistes... C'est merveilleux. D'ordinaire, soit par manque d'argent, soit par fatigue ou par remords, un gars ne tient pas trois jours. Il se laisse pincer ou il se rend.

En parlant de la sorte, Firmin Blache avait regardé du côté de la rue et Denise se demanda à qui il s'adressait. Elle s'approcha du crémier, se pencha dans la direction vers laquelle il s'était tourné, et, n'apercevant rien, demanda :

— Vous avez vu quelqu'un?

— Mais non! maugréa le gros homme. Vous êtes drôle, avec vos questions. Voyez plutôt vous-même. Rendez-vous compte.

Conduite par lui jusqu'à la porte, elle appuya le front à la vitre et regarda au dehors. La rue était toujours vide et très calme. En face de la boutique, l'échoppe d'un cordonnier jetait sa jaune lueur, falote et misérable. Il n'y avait personne sur ce trottoir et, un peu plus loin, à droite, un bar, qui eût pu cacher un observateur, ne présentait rien d'anormal. Cette apparente tranquillité eût dû rassurer la jeune fille; il n'en fut rien, car elle pensa que ce n'était pas sans raison que Firmin Blache venait de lancer un coup d'œil à l'extérieur.

— C'est vrai, dit-elle, il n'y a personne.

— Ecoutez, fit alors le crémier, si c'est pour trembler de trac que vous êtes venue, fallait rester chez vous.

— Mais, monsieur Firmin, c'est vous qui
m'avez avertie qu'on me filait. Je vous ai cru.
Chaque fois, l'idée que quelqu'un m'accom-
pagne, je ne sais pas, ça m'affole.

Le gros homme ne répondit pas. Il posa
sur son interlocutrice un œil indifférent, puis,
regagnant le comptoir, s'assit et affecta de reprendre son journal.

Quelques minutes s'écoulèrent. On entendait le tic tac régulier de l'horloge. Une petite
souris grise montra, entre deux paniers
d'œufs, le bout de son museau et se mit à gri-
gnoter l'osier. Une mouche anémique bour-
donna faiblement. La jeune fille s'enquit :

— C'est toujours la même photo que vous
regardez?

— Toujours.

— La photo de Jean?

— Oui.

— De Jean près de Marthe?

Le crémier releva la tête :

— Qu'est-ce que vous **voulez** dire, avec
votre : près de Marthe? J'ai pas **le droit?**

— Si, vous avez le droit. Seulement, je vous parle, moi, de l'homme qui, paraît-il, ne me quitte pas d'une semelle et vous revenez à cette photographie.

— Je fais ce qui me plaît, riposta Blache. Votre type, au fond, ça m'est égal. Je vous ai prévenue, par bonté d'âme. Débrouillez-vous.

Déroutée par cette réponse, Denise garda un instant le silence, puis, comme le gros homme se replongeait dans sa contemplation, elle reprit la parole.

— Monsieur Firmin, il ne faut pas ainsi regarder cette photo. Ça peut paraître étrange. Pourquoi ne cessez-vous de l'examiner?

— J'ai mes raisons, énonça Blache.

— Ah!

— Des raisons que vous saurez, peut-être, un jour... avec tout le monde.

— Bientôt?

— Quoi? lança le crémier qui, cette fois, considéra la jeune fille d'un œil mauvais et soupçonneux.

Elle voulut répondre. Il cria :

— Taisez-vous !

— Mais, insista Denise, qui reprenait son sang-froid, vous me parliez de vos raisons. Vous disiez...

— Non. Je ne dis rien, je n'ai rien dit, grogna-t-il. C'est vous. C'est votre faute. Mes raisons ! Quelles raisons ?

Une flamme s'était allumée dans ses yeux glauques striés de sang, et Denise, étonnée de cette violence soudaine, esquissa vers la porte un mouvement. L'homme se leva, lui barra le chemin, et, brandissant son journal :

— Maintenant, entendez-vous. J'exige que vous m'expliquiez ce que signifient ces questions que vous me posez.

Il l'avait saisie par le bras.

— Lâchez-moi, balbutia-t-elle effrayée. Je vous en prie ! Ce n'est pas moi. C'est vous. C'est la photo ! J'ai bien vu. Tout à l'heure, vous aviez l'air de lui parler...

Blache s'éloigna de Denise aussitôt : une expression d'angoisse altéra son visage. La jeune fille ne comprenait plus. Pourtant, la certitude que Blache s'était adressé tout à l'heure à la photo, comme à un être vivant, demeurait ancrée en son esprit. Elle faisait corps avec la jeune fille, l'emplissait d'une lumière, d'une chaleur extraordinaires. Soudain, le gros homme s'aperçut qu'il en avait trop dit. Sa fureur s'apaisa : il laissa glisser le journal sur le sol et murmura, en détournant ses yeux :

— Ça va ! puisque vous avez vu. Oui. Ça va. On n'y peut rien. Seulement, je ne suis pas responsable. Ce n'est pas moi.

Denise pensa qu'il était fou. Et malgré son désir d'en connaître davantage, elle murmura humblement :

— Bien sûr ! Ce n'est pas vous.

Blache secoua lentement la tête.

— Non. Non. Pas moi, dit-il.

Il s'était ressaisi tout à fait.

— Et la preuve que je ne suis pour rien dans l'affaire, exposa-t-il, c'est qu'au lieu de dénoncer votre frère, quand il est venu, lundi soir, je n'ai pas bougé. Que voulez-vous, j'ai eu pitié de lui. Si seul, si triste! Il était comme une âme en peine. Pour un peu, je l'aurais fait entrer chez moi, se cacher.

Le ton sur lequel il venait de débiter ces phrases émut Denise qui ne put prononcer un mot. Des larmes lui mouillèrent les paupières.

— Faut pas pleurer, poursuivit l'homme. Voyons, ma petite demoiselle, ça sert à rien. Remettez-vous! Raisonnez-vous!...

— Oh! soupira Denise, je ne peux pas.

Elle s'essuya les yeux, puis secouant la tête, gémit :

— Si seul! Si triste! C'est une idée qui me torture. Je le sens malheureux, abandonné, ne sachant rien de nous. Où est-il? Que fait-il? Nul ne l'aide.

— Hé, non, concéda le commerçant.

Il sembla chercher à dire quelque chose de moins décevant et, ne trouvant rien, prit un air doucereux.

La jeune fille, dominée par son émotion, continuait :

— Personne pour le secourir! pas même moi!

— Oh! vous! dans l'état où vous êtes, déclara Blache en guise de consolation, mieux vaut que vous ignoriez tout. On vous filerait, il serait poissé.

— Quelle horreur!

— Savez-vous seulement comment on opère? comment on rompt une filature?

Denise n'eut pas l'air de comprendre.

— C'est pourtant simple. Une supposition que vous soyez suivie, y a pas à hésiter : vous descendez au métro et montez en voiture. Là, près de la portière, suffit d'attendre que tout le monde soit monté. Aussitôt que la rame s'ébranle, d'un bond vous sautez sur le quai. Comprenez-vous?

— Oui.

— Retenez simplement : le métro! Ça peut servir, insista le crémier.

Mais Denise ne l'écoutait pas. Elle n'avait qu'une idée : rentrer chez elle, s'y enfermer, oublier ce Firmin, son journal, la photo...

Qu'est-ce que cette photo pouvait représenter pour lui? Pourquoi la gardait-il constamment sous les yeux? Pourquoi paraissait-il la prendre tout à l'heure à témoin? C'est toujours à cela que revenait Denise et elle n'osait interroger le gros homme, de crainte qu'il ne s'emportât de nouveau, comme une brute, et ne la menaçât. Rien au monde, cependant, n'avait aux yeux de la jeune fille plus d'importance que l'explication de ce mystère. Il eût suffi d'un peu de courage pour en parler, d'un peu de fermeté, d'audace. Denise n'en avait plus; elle attendit une longue minute, et, désignant la porte :

— Bonsoir! dit-elle. Je vais partir.

— Bonsoir.

Tournée vers la sortie, elle ajouta :

— Je vais rentrer à la maison. Demain, dimanche, j'y resterai toute la journée, et, lundi, je retournerai à la banque.

— Tiens! c'est vrai. Vous avez votre travail.

— Oui.

— Et Mme Fournier?

— Je peux maintenant la laisser seule. Elle va mieux. C'est elle qui descendra pour les emplettes. Ne la mettez pas au courant.

— Je vous le promets, fit le gros homme.

Et, comme Denise ne se décidait point à le quitter, il ramassa négligemment son journal, le plia, le logea sous son bras puis contempla la pointe de ses souliers.

— Monsieur Firmin! supplia la jeune fille.

Il dressa la tête sans répondre.

Denise n'insista plus. Elle gagna, lentement, l'avenue où se dressaient des arbres, le dos courbé, comme une vieille femme. Une auto la frôla sans qu'elle s'en aperçut. Deux voyous l'appelèrent : elle n'y prit pas garde. Perdue dans ses pensées, la malheureuse ne voyait que Blache et se rappelait l'air étrange avec lequel il remuait ses grosses lèvres, au-dessus du journal et de la double photographie.

XI

Une fois de plus, le lendemain, la presse ne contenait rien sur l'affaire. Ce silence eût dû rassurer Denise mais elle n'en éprouva aucun soulagement. Pourtant, il faisait beau. C'était dimanche : des cloches sonnaient. Par dessus la ligne des toitures, le ciel bleu s'étendait, parsemé de petits nuages. A cette heure, d'habitude, Jean n'était pas encore levé. Il dormait dans sa chambre où sa sœur lui portait son petit déjeuner. Il avait, au lit, des rires, des gentillesses d'enfant, et quand il attrapait Denise pour l'embrasser, elle sentait la longue mèche blonde de ses cheveux l'agacer et la chatouiller.

— Jean, criait-elle. Arrête ou je me fâche.

Mais Jean n'écoutait pas. Au risque de lui faire renverser le plateau, il attirait Denise plus près, la serrait doucement et ne la laissait enfin libre qu'après mille taquineries.

L'évocation de ce tableau plongea Denise dans une poignante détresse. Elle se dit qu'une semaine avait suffi pour tout changer à ces joies simples et elle se demanda ce que devenait Jean. N'était-il pas, ce même dimanche, quelque part, dans une chambre d'hôtel, sous un pont, sur un banc de square ou, qui sait, errant à travers la ville, accablé d'une tristesse que rien ne pouvait apaiser? Un frisson secoua la jeune fille. Elle vit son frère, les yeux bouffis par les veilles, transi, boueux, rôder, ainsi qu'un être traqué, d'un bar à l'autre, ou parfois se perdant dans la foule. Elle souffrait qu'il allât ainsi, seul dans la multitude, sans espoir d'aucune sorte, misérable, exténué. Lui restait-il un peu d'argent? Avait-il faim? Que ferait-il tout ce dimanche? N'allait-il pas — à bout de forces — s'aven-

turer dans le quartier? La jeune fille se retourna, jeta craintivement un regard derrière
elle et aperçut soudain un petit homme qui,
d'un air machinal, avançait dans sa direction.
C'était la première fois qu'elle le voyait.
Coiffé d'un chapeau mou, vêtu d'un pardessus grisâtre, il avait une canne à lanière sous
le bras.

Aussitôt la jeune fille l'identifia et, se baissant, feignit de renouer le lacet de sa chaus-
sure. L'homme fut obligé de prendre les de-
vants. Denise le laissa continuer sa route à pas
comptés et ne douta point que ce paisible
promeneur ne fût l'individu que le crémier
lui avait signalé. Elle n'en éprouva cependant
ni frayeur ni étonnement, puis elle rentra,
gravit l'escalier.

— Tiens! dit sa mère, il y a deux lettres
pour toi.

Denise faillit lui raconter sa découverte,
mais elle se domina et, consultant l'écriture
des enveloppes, passa dans sa chambre, où elle
enleva son manteau et sa toque, puis déca-

cheta son courrier. L'une des lettres émanait d'une amie de la banque, qui lui conseillait officieusement de revenir lundi pour éviter d'être renvoyée. Denise la parcourut très vite et haussa les épaules. Elle réfléchirait plus tard à cela. Pour l'instant, elle avait hâte d'apprendre ce que l'autre enveloppe — de format commercial, froissée, tâchée de graisse — contenait, mais aussitôt qu'elle eut jeté les yeux sur les premières lignes, elle s'exclama :

— Comment !

Mademoiselle,

Je vous dois une explication après la scène pénible que nous venons d'avoir à propos de qui vous savez : je suis un honnête homme depuis toujours. Je vis chez moi sans me mêler des histoires de personne. Levé tôt, couché tôt, c'est vous dire que je n'ai pas le temps, même si je le voulais, de m'occuper de ce qui ne me regarde pas. On n'en a, d'habitude, que des embêtements grands et petits, de toute sorte, qu'il vaut mieux éviter.

— Pourquoi donc écrit-il? pensa la jeune fille.

Je n'ai pas...

Elle tourna la page et le mot « peur », tracé d'une main maladroite et qui avait peut-être tremblé, lui sauta brusquement aux yeux.

Je n'ai pas peur de vous ni du jeune homme en fuite, ni pareillement de celui qui est sur vos traces et découvrira le coupable. Apprenez que le coupable n'est pas moi. Mon erreur est d'avoir voulu vous protéger en vous mettant en garde contre l'individu au pardessus gris qui, de jour et de nuit, vous pourchasse...

— Un fou, c'est un fou, se dit Denise presque à voix haute.

Bien qu'il fût évident que son correspondant était le crémier, elle chercha d'instinct la signature. Il n'y en avait pas. Cette lettre étrange s'achevait sur une brève formule de politesse contrastant avec le ton délirant de l'ensemble. Un « veuillez agréer, mademoiselle... » qui laissa la jeune fille perplexe.

Lentement, elle reprit sa lecture :

...Que vous m'ayez remercié de vous avoir porté secours, en essayant de me pousser hors de moi-même par vos questions, n'est pas pour me surprendre. Je suis fait à l'ingratitude depuis longtemps : c'est le chiendent des cœurs, la mauvaise herbe croît toute seule. De même pour le jeune homme en fuite et que j'ai vu passer devant ma boutique. S'il parle un jour, ce ne sera pas pour me savoir gré de l'avoir vu sans le trahir. Pourtant nul plus que moi ne souhaite sa réussite totale. Dites-le lui quand vous le rencontrerez; qu'il sache que je lui pardonne, comme à vous. Ce jeune homme m'a fait du mal. Il a détruit le bonheur de ma vie : il l'a cruellement et volontairement retranché du monde des vivants par un geste insensé. De ce bonheur, une seule chose me reste : le souvenir; une image : sa photographie.

— Ah! la photo, voici l'explication! admit Denise.

Sa chère photographie où je la vois sourire au monstre dont vous savez le nom. C'est affreux de ne pouvoir les désunir. C'est affreux de se dire que la mort ne les a pas séparés l'un de l'autre, et que celui qui a donné cette mort est libre quand j'aurais pu le faire arrêter et assouvir ainsi la haine qu'il m'inspire si elle était moins forte que ma pitié.

Veuillez agréer, mademoiselle...

La première impression passée, Denise tenta de mettre de l'ordre dans les idées contradictoires qui l'assaillaient. Ainsi, le crémier avait été amoureux de Marthe. Il l'avouait à sa manière, mais on concevait mal qu'au lieu de se venger en livrant son rival à la police, il affichât pour lui de pareils sentiments. Il existait, là, une contradiction : ou Firmin Blache n'avait jamais vu Jean passer devant sa boutique, ou il faisait preuve d'une inadmissible magnanimité.

De ces deux hypothèses, la jeune fille ne retenait que la première. Non, pas une fois depuis le crime, le crémier ne s'était, quoi qu'il prétendît, trouvé en présence de Jean. Jean n'avait point paru dans le quartier; on l'aurait su par d'autres témoignages. La description, manifestement inexacte, des vêtements que portait le disparu, prouvait que Blache ne disait pas la vérité. Il avait dû rêver ou il s'était trompé. C'était l'unique explication... Et, au fur et à mesure que Denise s'efforçait de démêler ce mystère dont la confusion l'irritait, une conviction se faisait jour en elle, grandissait, la transfigurait.

Ce fut alors que la jeune fille rejoignit sa mère, mais sans lui parler de la lettre qu'elle venait de lire. Installée dans la salle à manger, la vieille dame tricotait et s'arrêtait parfois pour prêter l'oreille aux plus légers bruits du dehors. A d'autres moments elle retombait en sa torpeur et ne semblait s'intéresser à rien.

— Je vais mettre la table, dit Denise.

Elle se rendit à la cuisine, y prépara les aliments. Quand elle revint, Mme Fournier ne tricotait plus et avait déjà placé la nappe afin d'y installer trois couverts, ainsi qu'elle le faisait chaque fois. Par manie, ou superstition, la vieille dame tenait à ce troisième couvert, qui marquait la place de Jean. Lorsqu'il avait été oublié, Mme Fournier se levait et le mettait elle-même, sans prononcer un mot. Ou bien elle regardait sa fille qui comprenait. Entre elles, cette place vide créait comme une présence, comme l'attente d'une présence qui prêtait aux repas un caractère de longueur, de tristesse indicibles. Mais Denise l'acceptait et elle avait toujours, quand sa mère cessait de manger, un pauvre et doux sourire qui lui rendait courage et l'aidait à la ranimer.

— Tu as vu, dit soudain la vieille femme,

qu'une de tes enveloppes avait été ouverte?

— Quoi?

— La concierge me l'a remise ainsi.

Denise courut chercher son sac où elle avait enfoui la lettre du crémier, ouvrit le sac, en tira l'enveloppe, l'examina. C'était vrai.

— Ça, par exemple! murmura-t-elle.

Mme Fournier reprit :

— Je m'en suis aperçue en rangeant ton courrier, mais trop tard.

— Maman, fit aussitôt Denise, ce n'est pas toi, n'est-ce pas?

— Oh!

La jeune fille fut sur le point de descendre chez la concierge, puis elle se ravisa, et, retournant la lettre entre ses doigts, finit par se rasseoir à table, sans insister.

Sa mère la contemplait, anxieuse, et n'osait lui poser aucune question. Le déjeuner s'acheva dans un silence pesant, prolongé, presque hostile. Puis toutes deux se levèrent. Denise, toujours muette, desservit. Elle refusa l'aide que lui proposait la vieille dame et la mena près de la fenêtre vers le fauteuil où Mme Fournier ne tarda pas à reprendre son ouvrage avec trop d'attention.

— Tu ne vas pas croire que je lis ta correspondance? demanda-t-elle tout à coup.

— Mais non, voyons.

— Une autre fois, quand la mère Courte montera le courrier, je l'examinerai.

— C'est ça, lui dit Denise.

Elle tenta de sourire.

— Vraiment, déclara Mme Fournier, on n'a pas le droit d'agir de la sorte. Nous pourrions protester, réclamer. La concierge...

— Et si ce n'était pas elle?

— Comment?

La jeune fille préféra se taire et, à travers le tulle de la fenêtre, regarda dans l'avenue.

Celle-ci, par ce dimanche, avec ses devantures baissées, sa chaussée, ses trottoirs déserts, ses façades grises et uniformes, sa perspective à l'abandon, présentait une apparence plus navrante encore que pendant la semaine. Un air de phonographe s'échappait d'un hôtel dont la jeune fille apercevait, à gauche, l'enseigne transparente, aux lettres blanches, et cet air mécanique, qu'on entendait par bribes, ajoutait au décor une détresse de plus. En dépit du soleil, qui effleurait le faîte des maisons, la lumière avait quelque chose de retenu, d'incertain, de mélancolique; elle éclairait et ne rayonnait point. Sans analyser son impression, Denise fut péniblement affectée. Elle pensait au crémier qui lui avait écrit, à l'individu retrouvé tout à l'heure et qui, certainement, par ses chefs ou par la concierge, devait être informé du contenu de l'enveloppe. La crainte que le policier pouvait se trouver en bas, l'assombrit. Elle le chercha des yeux, puis, ne le voyant pas, se dit qu'il avait dû regagner son poste d'observation.

— Tu n'es pas contrariée, au moins? lui demanda sa mère.

Denise la regarda, et, sans daigner répondre, elle se retira dans sa chambre, toute pensive.

L'idée de l'espion lui demeurait insuppor-

table, mais à présent que la jeune fille le connaissait, son appréhension faisait place à un
sentiment raisonné de défense qui l'obligeait
à plus d'efforts, de précautions. Après tout,
quelle raison avait-elle de s'alarmer? Si la
surveillance dont on l'entourait devenait plus
étroite, c'était, sans aucun doute, à cause de la
lettre de Blache qu'on lui demanderait peut-
être de commenter. Or, cette lettre n'était
gênante que pour l'expéditeur. Elle, Denise,
n'avait rien à en redouter, et, petit à petit, la
jeune fille reprit courage. Mais, comme à cet
instant, dans la cour s'élevait une rumeur de
dispute, où dominait la voix perçante de la
concierge, Denise, courant à la fenêtre, aperçut le crémier ivre-mort, aux prises avec la
mère Courte dont la fureur se répandait en
exclamations indignées.

XII

Denise devait se rappeler plus tard l'expression de terreur qui convulsait le visage de Blache durant que la concierge l'accablait de reproches et d'injures, mais elle ne songea tout d'abord qu'à se demander la raison d'une pareille scène. Appuyé pesamment au mur, le gros homme demeurait silencieux. Blême, les yeux hagards, il se laissait grossièrement apostropher par la mère Courte au comble de l'exaspération. Plus la mégère criait, plus il paraissait avoir peur. Attirés par le bruit, des voisins accouraient. S'arrachant aux douceurs du jacquet dominical, les Milou, toujours prêts à se mêler de ce qui se passait dans l'immeuble, étaient rapidement descendus. L'homme, en pantoufles rouges et en bras de chemise, la femme en cotillons sordides, tous deux tentaient d'apaiser la concierge.

— Non, laissez! Laissez-moi! Laissez-moi, que je vous dis! glapissait cette dernière. C'est à monsieur que je cause. J'ai pas fini.

Blache ne protesta pas.

— Entrer chez moi comme il l'a fait! poursuivit la mère Courte. Me menacer! Ah! mais non! J'y apprendrai à pas confondre. J'vous jure. J'irai au commissaire porter plainte. On verra!

Repoussant les Milou, la concierge se débattait, hurlant comme une folle, tandis que le crémier, saisi d'une épouvante abjecte, conservait à grand'peine son équilibre.

— Vous feriez mieux de monter chez vous, fit observer Milou. Restez pas là...

— Oui, approuva Surgère, l'aide-pharmacien. Allons, ouste!...

Un tintement de cloches, s'engouffrant

dans la cour, empêcha Denise d'entendre ce que répliqua Firmin Blache, mais elle le vit prendre en chancelant la direction de l'escalier et s'appuyer au bras de Surgère qui, sans rien ajouter, l'entraîna.

La disparition du crémier fut accueillie par des réflexions et des rires que la mère Courte se hâta d'interrompre.

— Y a pas d'quoi plaisanter, prononça-t-elle. Si j'l'avais pas poussé hors de ma loge, il m'aurait rouée d'coups. Fallait le voir, il s'est amené, les yeux hors de la tête, pour me frapper. J'ai crié. Je l'ai jeté à la porte.

— Mais pourquoi voulait-il vous battre? demanda la Milou.

— Oh! ça, c'est autre chose. Une chose qui pourrait le mener loin.

— Pas possible?

— Si. Loin. Très loin...

— Il est saoul comme un porc, fit alors raisonnablement observer M. Lépinois. Rappelez-vous. Déjà, dimanche dernier...

— Justement.

La Milou se rapprocha de Mme Courte.

— Ben. Quoi? Racontez, lui dit-elle. Qu'est-ce qui s'est passé?

La concierge hocha la tête d'un air grave et répondit :

— Rien.

Puis, très digne, entourée de mystère, l'œil mauvais, satisfaite, elle se retira dans sa loge dont elle claqua, d'un coup sec, le carreau.

Cette dispute grotesque, à quoi Denise venait d'assister, produisit sur elle une profonde impression. L'attitude du crémier l'indignait. Elle n'avait pas d'excuse. Ce n'était ni les cris, ni les gestes de la mère Courte qui pouvaient provoquer une telle épouvante chez un individu de la force du crémier. L'ivresse n'aurait point dû le déprimer, mais l'exaspérer, au contraire. Et si, comme l'avait prétendu la concierge, l'intention de Blache avait été de la malmener, comment se faisait-il qu'ensuite il se fût comporté à la manière d'un lâche! Il subsistait en cette affaire quelque chose de suspect dont la mère Courte devait avoir le fin mot. Denise eut beau chercher, elle ne découvrit rien, mais soudain, elle songea à la lettre que contenait son sac et se demanda de nouveau pourquoi le crémier la lui avait écrite. Là aussi résidait un secret, un mystère qui, loin de se dissiper, emplissait la jeune fille de malaise à mesure qu'elle tentait d'en saisir les raisons. Ces raisons, étaient-ce celles à quoi le commerçant avait fait allusion, la veille, dans sa boutique, en contemplant la photographie de Marthe? Denise ne savait que penser. Cependant elle se rappela les façons du crémier, et les rapprochant de celle dont il venait de se conduire, sous ses yeux, elle conclut qu'une seule explication convenait à la fois à la scène de la crèmerie et à l'algarade de la cour.

A cet instant, le policier que la jeune fille avait surpris en train de la suivre, le matin même, parut flanqué de la concierge, leva la tête et regarda vers le haut de l'immeuble. Denise redoubla d'attention. L'homme s'entretenait à voix basse avec la mère Courte.

Celle-ci devait certainement lui indiquer la fenêtre de Blache, puis l'un et l'autre se retirèrent.

— Ah! se dit la jeune fille. J'en étais sûre. Ils sont d'accord. Elle et lui.

Mais l'espion ne revint pas et Denise quitta sa chambre pour voir si, de la salle à manger, elle l'apercevrait sur l'avenue.

Mme Fournier, qui, près de la fenêtre, n'avait pas bougé de son fauteuil, regarda elle aussi et dit :

— Voyons! qu'est-ce qu'il y a?

— Tu n'as rien entendu?

— Non, rien. Je me suis probablement endormie, fit la vieille femme.

Elle posa son œil terne sur sa fille et s'informa :

— Quelle heure est-il?

— Cinq heures, répondit lentement Denise, toute à sa préoccupation.

Puis, comme elle ne découvrait personne à l'extérieur, elle ajouta, déçue :

— Le soir tombe...

En effet, les premières lueurs des becs de gaz ponctuaient l'avenue de feux pâles et un léger brouillard s'infiltrait ainsi qu'une eau sournoise entre les façades des maisons. La jeune fille attendit plusieurs minutes et, s'éloignant de la fenêtre, alluma la lampe et s'assit.

Une rêverie soudaine s'empara d'elle.

Chaque jour, à la même heure, elle lui venait, comme d'une présence, du soir qui descendait. Une présence obscure, pourchassée : celle de son frère qui, sans doute, devait se mettre alors à errer par les rues. Et cette présence, dont la jeune fille sentait l'inquiétude l'envahir, la jetait dans une torpeur, une passivité mornes où la peur se mêlait à l'espoir et où l'ombre de Jean était traquée par celle d'un policier.

Cette poursuite dans la nuit exerçait sur Denise une espèce de fascination. Elle lui remettait en mémoire toutes les sortes d'émotions par lesquelles elle était passée depuis l'instant où le crémier l'avait avertie qu'on la

filait. Quoi qu'elle fît, elle y revenait. L'idée
que Jean pût avoir, chaque soir, à lutter contre un pareil danger, lui représentait ce danger sous une forme toujours plus menaçante
et elle en arrivait finalement à tomber dans
une anxiété si grande qu'elle n'y savait plus
échapper.

— Eh bien! l'appela sa mère. Denise!

Denise n'entendit pas.

— Où es-tu? dit encore la vieille femme.
Réponds-moi!

Il fallut que Mme Fournier s'approchât de
la jeune fille pour que celle-ci, reprenant
conscience, demandât tout à coup :

— Hein! qu'est-ce que c'est?

— Ma chérie! balbutia sa mère... Mon
enfant!...

— Non, fit Denise. Ne t'inquiète pas.

Et elle se leva, se jeta dans les bras de la
vieille femme, la serra tristement contre elle
et fondit en sanglots.

Il y avait longtemps qu'elle n'avait pas pleuré ainsi. Toutes ses appréhensions, ses transes, ses terreurs refoulées trouvaient enfin dans cette explosion de larmes, leur libre épanchement. Denise en était secouée jusqu'au tréfonds de son être, et elle s'abandonnait à cette immense détente qu'elle n'avait osé prévoir ni espérer. Alors, elle embrassa sa mère et tenta de lui expliquer ce qui se passait en elle, mais la vieille femme répondit doucement :

— Non. Non. Ne dis rien. Il y a des moments où je crois qu'il est dans la rue, qu'il appelle.

— Maman, ce n'est pas lui!

— Pas lui?

— Non, déclara Denise. Réfléchis! Jean ne peut pas venir, on l'arrêterait. Il y a, dans la rue, quelqu'un qu'on a placé exprès... un homme de la police.

— C'est de lui que je parle. Il est là, chaque nuit, qui se promène. Quand j'éteins la lumière, je l'aperçois sur le trottoir...

— Mon Dieu! gémit Denise.

La mère reprit :

— Tout à l'heure, lorsque tu as regardé par la fenêtre, c'est lui que tu cherchais, n'est-ce pas?

Denise répondit sourdement :

— Il était dans la cour et parlait avec la mère Courte. Après un moment, il s'en est allé. J'ai voulu voir, d'ici, ce qu'il faisait, mais je suis arrivée trop tard.

Elle se laissa tomber sur une chaise, près de la table, et, se prenant la tête entre les mains, murmura :

— C'est horrible!

— Mais que disait-il à la concierge? Tu n'as pas entendu?

— Non.

— Crois-tu qu'il s'agissait de nous?

— Je ne sais pas, je ne sais rien. Rien, absolument rien! s'écria Denise en reculant et en promenant autour d'elle un regard anxieux. Je t'en supplie! Ne m'interroge pas!

Une peur, une gêne insurmontables l'empêchaient de s'entretenir du crémier, comme si la moindre allusion à ce sujet dût fatalement provoquer une catastrophe. Pourtant, c'est à Blache qu'elle pensait. Uniquement. Elle se demandait ce qui l'avait poussé à écrire, à s'enivrer et à menacer la concierge. Autrefois, il ne buvait pas. Il ne causait jamais d'esclandre. C'était un homme paisible, ponctuel, renfermé, vivant, soit dans sa boutique, soit dans son logement du cinquième en bon termes avec ses voisins. Ceux-ci ne lui connaissaient ni amis ni liaison, d'aucune sorte. Et voilà que ce personnage si rangé était déjà rentré, l'autre dimanche, pris de boisson, et chantant à tue-tête en montant l'escalier. Puis il avait informé la jeune fille qu'on la filait. Il lui avait parlé de Jean. Puis il avait parlé de Marthe. De jour en jour, comme malgré lui, ce personnage s'était montré plus bavard, moins prudent. Il avait adressé à Denise une lettre déconcertante, dont des tiers, certainement, avaient pris connaissance. Enfin, s'était déroulé dans la cour cet épisode à la fois grotesque et pitoyable, dont nul, sauf la concierge, ne pouvait donner l'explication.

« Justement », avait dit la mère Courte à propos de l'ivrognerie du gros homme. « Justement ». Ce mot fit réfléchir Denise. Oui, le crémier buvait ainsi qu'un homme qui voudrait oublier. C'est à cause de ce vice qui s'était rapidement développé en lui que tous ses actes prenaient un sens équivoque et troublant.

Denise se leva et fut sur le point de parler, mais à l'aspect de sa mère qui l'observait, elle se tut. Certes, il lui coûtait de conserver ses réflexions pour elle, mais elle s'était juré de garder le silence et elle respecta son serment.

Sept heures sonnèrent. Dans la maison, les gens regagnaient leurs étages et un bruit de

pas et de conversations succédait au silence
stagnant de la journée. Au dehors, un taxi
corna, s'arrêta devant un hôtel, repartit. Des
lumières éclairaient les façades, on tirait des
persiennes, on fermait des volets. Sur le trottoir, des gens excitaient un chien qui jappait
de plaisir, se jetait dans leurs jambes, courait
en tous sens, bondissait, se sauvait, revenait.
Une femme cria d'une fenêtre :

— Janine!...

C'était la teinturière, Mme Juif.

Denise reconnut sa voix et pensa qu'il était
l'heure de mettre la table, mais, envahie
d'une étrange torpeur, elle ne bougea pas et
laissa Mme Fournier prendre la nappe, dans
le buffet, la déplier, l'étendre, disposer les
couverts.

— Je n'ai pas faim, dit la jeune fille.

Sa mère sortit pour aller à la cuisine. Denise n'y prit point garde. Elle prêtait l'oreille
à tous ces bruits familiers qui montaient de la
rue et qui, distinctement, lui arrivaient l'un
après l'autre, comme au temps si proche où

elle attendait le retour de son frère quand il était en retard pour le dîner. Ces bruits n'avaient pas varié. L'intonation de la voix de la teinturière appelant sa gamine, avait toujours cette note aigre, perçante. Les jappements du chien décelaient la même joie, le même désir de jouer. Enfin, lorsque la chanson du phonographe éleva, brusquement, son timbre nasillard et tendre, l'illusion de la jeune fille fut si complète qu'elle faillit dire en voyant le couvert de Jean près du sien, sur la table :

— Tant pis ! On n'attend plus !

XIII

A présent, il était dix heures et l'immeuble, tout entier, paraissait assoupi. Après avoir poussé la lourde porte cochère, qui s'était refermée avec un heurt massif, la concierge avait éteint le gaz de l'escalier.

Denise, qui souhaitait le bonsoir à sa mère, songeait qu'elle retournerait, le lendemain, au bureau. Lui ferait-on bon accueil chez Rosmer? N'aurait-elle pas à subir de nouvelles humiliations? La jeune fille soupira. Déjà, elle entrait dans sa chambre pour se coucher quand un coup de sonnette, à peine perceptible, la fit sursauter. Le cœur battant, elle s'arrêta, pensant avoir mal entendu et demanda :

— Qui est-ce?

Pour toute réponse, on se mit à frapper du doigt contre la porte.

Denise fut sur le point de défaillir. L'idée de Jean lui traversa l'esprit et elle dut se raisonner afin de la chasser. Non, ce n'était pas son frère. Ce ne pouvait pas être lui. La concierge l'aurait vu monter et se serait jetée à sa poursuite. Jean le savait. Il n'aurait point commis cette imprudence.

— Qui est là? dit encore Denise.

Mme Fournier s'était levée. La jeune fille l'aperçut, dans le couloir, et lui fit signe de ne pas bouger, puis, comme on se remettait à frapper avec plus d'insistance, elle entrebâilla légèrement la porte qu'une pression de l'extérieur ouvrit toute grande.

Firmin Blache entra.

Les deux femmes, effrayées, le regardèrent. Il était en bras de chemise et en chaussons. Ses yeux brillaient. Une pâleur hideuse altérait son visage.

— Voilà, déclara-t-il, en refermant la porte et en s'y adossant. Je suis venu pour vous parler.

Denise fixa ses yeux au fond de ceux du commerçant et le fit passer devant elle sans répondre, en indiquant la direction de la salle à manger où, suivie de sa mère, elle le rejoignit. La pièce n'était pas éclairée. Avant d'allumer la lampe, la jeune fille rabattit les persiennes.

— Vous n'êtes plus ivre? s'informa-t-elle.

L'homme se passa la main sur la figure et grommela :

— Non... Bien sûr...

Puis, d'une voix sourde :

— Vous avez raison de me dire ça. Je ne...

— De quoi s'agit-il? interrompit Denise.

— Ah! oui. C'est juste.

— Eh bien?

— Comprenez, commença le crémier qui alla jusqu'à la fenêtre pour s'assurer qu'on ne voyait pas du dehors. Comprenez. Ça remonte à plusieurs jours, ce que j'ai à vous apprendre. A l'autre dimanche, exactement ou, plutôt, au lundi que j'ai aperçu votre frère.

— Quoi, s'exclama la vieille femme en joignant les mains... Vous avez vu Jean?

— C'est exact, affirma Blache. Votre fils a passé devant ma boutique, le soir qu'on a emporté le corps. J'en ai déjà fait part à mademoiselle.

— Vous me l'avez également écrit, riposta la jeune fille.

— Parfaitement. C'est même à cause de cette lettre...

— Mais Jean? demanda Mme Fournier. Jean? Que savez-vous de lui? Où est-il?

— Maman, dit Denise sur un ton de reproche. Laisse M. Blache parler. Il va t'expliquer tout.

Le crémier haussa les épaules et maugréa :

— Tout? Je ne sais pas. D'abord, la lettre... Il se frappa le front avec colère.

— Cette lettre, j'aurais pas dû vous l'envoyer. Ça, bon Dieu! Non. Il aurait mieux valu m'couper la main! Pourtant, dès votre départ de la boutique, hier soir, j'ai pas pu résister. Il fallait que je vous raconte comme ça s'est passé, votre frère et moi...

— Pardon, protesta Denise, c'est ce que vous n'avez pas fait.

— Ah!

— Non. J'ai relu votre lettre plusieurs fois. Elle est pleine d'allusions, de sous-entendus...

Blache détourna les yeux et parut réfléchir.

La jeune fille poursuivit :

— Mais, en ce qui concerne la mort de Marthe, pas une phrase, pas une précision...

— Toujours est-il, proféra le crémier après un temps, que le lendemain de cette mort, votre frère s'est sauvé. Je ne sors pas de là. S'il n'avait pas eu un crime sur la conscience, il serait ici. Il aurait donné la preuve qu'il n'est pas coupable.

— Parlons plutôt de vous, trancha Denise. Vous venez d'avouer que vous saviez comment tout a eu lieu.

— Moi?

— Oui, vous. Jean a donc eu le temps de vous raconter la scène?

Cette question embarrassa le gros homme au point qu'il en demeura muet et leva sur Denise une regard sombre.

— Répondez! insista celle-ci. Allons! dé-cidez-vous!

— Ce que je sais, dit-il en calculant ses mots, c'est que Jean Fournier a tué Marthe, pour se venger...

— De qui?

— De moi. Elle était ma maîtresse.

— Cela n'explique rien, répondit lentement Denise. En admettant que ce soit vrai, Jean n'aurait pas été jaloux d'elle, mais de vous...

— Il l'était d'elle, d'abord.

— Vous croyez?

— Dame, c'est bien naturel. La même chose m'arriverait que je...

Il s'arrêta.

— Continuez, murmura-t-elle sans le quitter des yeux. La même chose vous arriverait?

— Non, non, protesta Blache. Ce n'est pas ce que je voulais dire.

— Ni moi.

— Oh! cria-t-il. Ce que vous pensez, je m'en doute. Mais c'est faux. Vous n'avez pas de preuves! Pour sauver votre frère, vous accuseriez n'importe qui.

— Vous, par exemple.

Les mots étaient tombés secs, nets, définitifs comme un verdict. Blache se mit à trembler, ainsi qu'il l'avait fait dans la cour, et la jeune fille, se tournant vers sa mère, dit alors d'une voix calme :

— Maman, va prévenir Mme Courte.

Le crémier regarda Denise, épouvanté.

— Comment, balbutia-t-il. Mme Courte! Oh! mais c'est impossible. Vous n'allez pas...

— Si.

Denise, qui s'était approchée, le saisit par une manche, l'attira.

— Il ne faut pas appeler la concierge, bégaya le gros homme à voix basse. Promettez-le.

— Pourquoi?

— Parce que cet après-midi, au moment où j'ai voulu reprendre la lettre que je l'avais chargée de vous porter, cette femme m'a chassé, menacé. Elle est de la police. Aussi, pour avoir cette lettre, j'ai pensé à venir vous la demander moi-même. Vous voulez me la rendre, hein? Nous la déchirerons. Voyez-vous, ce n'est pas grand'chose, ce bout d'écriture. Ce n'est rien, rien du tout.

— Oui et non.

— Non. Non, rien. J'aurais dû réfléchir avant de donner ce papier à la concierge, ou vous le remettre directement, ou venir, comme ce soir, m'expliquer.

Denise dit, dans un souffle :

— Je vous écoute.

— Le meutrier, c'est votre frère. Il m'a tout avoué. Il s'était disputé avec Marthe, parce qu'elle m'avait ouvert samedi. J'ignognorais qu'il se trouvait chez Marthe, vous comprenez? Alors, j'avais sonné. Lui, il est arrivé en colère. Je me suis retiré, pour pas le contrarier. Mais il a fait une scène, à cause de moi, à Marthe. Il l'a frappée. Elle cherchait à partir, à le quitter, après ça. Enfin, il s'est mis en travers de la porte et Marthe a voulu l'écarter. Elle n'avait pas vu qu'il était allé prendre un couteau à la cuisine. Il s'est jeté sur elle.

— Jean n'a pas pu vous raconter cela, répliqua durement Denise. On aurait entendu la querelle d'à côté, de chez les voisins, et ceux-ci en auraient parlé quand on les a interrogés. Or, ils n'ont jamais fait allusion à cette dispute. Pas une fois!

— Ils dormaient, balbutia le crémier.

— Allons donc!

— Oh! gémit-il, si vous ne me croyez pas, je ne sais pas, je ne sais plus. Votre frère m'a pourtant dit qu'il avait eu, avec Marthe, une scène.

— Quand vous l'a-t-il dit?

— Le soir que je l'ai vu.

— Vous ne l'avez pas vu!

— Pas vu! s'écria le crémier. Ah! ça aussi, c'est faux. Pas vu! Je l'ai vu! Et plus d'une fois, je vous jure.

— Où?

Blache tressaillit, mais comme la jeune fille plongeait ses regards dans les yeux du commerçant il se retourna du côté de la fenêtre et balbutia :

— Par là.

— Vous mentez! déclara Denise.

Elle fit signe à Mme Fournier de descendre, mais le gros homme s'en aperçut et il se mit à geindre :

— Par pitié! Non! N'allez chercher personne. Laissez-moi me rappeler à quel endroit se trouve votre frère et je vous l'indiquerai.

Il respira profondément et reprit, d'une voix étouffée :

— Oui, c'est par là, là-bas, près de la Seine.

Denise demanda :

— Loin d'ici?

Le crémier se passa sur le front une main

moite, ferma les yeux et répondit ensuite avec accablement :

— Ecoutez. Je peux vous conduire quand vous voudrez. Il y a l'eau, des maisons neuves. On suit le fleuve. C'est dans une des maisons en construction : la troisième après une palissade, quai d'Auteuil; faut descendre au métro Javel.

Cette fois, il considéra la jeune fille bien en face, puis il pointa un doigt dans la direction de l'avenue.

— Non, soupira Denise. Vous savez que c'est impossible. Si j'allais avec vous, on nous suivrait.

— Nous n'irions pas ensemble. Nous nous retrouverions à Javel. Pourquoi pas? Je vous ai expliqué comment on sème une filature. Rien de plus simple.

Denise consulta sa mère d'un coup d'œil et demanda :

— Vous viendriez ainsi?

— Le temps de monter passer un pardes-

sus, mettre des souliers, et je descends. Accep-
tez-vous?

— Je voudrais, murmura Denise. Mais
non. Je ne peux pas. Je n'ose pas...

— Songez. Il est onze heures. A minuit
vous serez rentrée.

— Qu'est-ce que vous dites?

— Vous serez rentrée, et vous l'aurez vu,
précisa le crémier. Ça vaut mieux que de tout
gâcher en allant chercher la pipelette. Retrouver votre frère, quelques minutes. Il sera
content...

Denise, désemparée, regardait alternative-
ment Firmin Blache et sa mère.

— Maman, supplia-t-elle. Conseille-moi,
je ne sais plus. Dis-moi ce que je dois faire.

Son hésitation dura peu. L'idée de revoir
Jean, dans un quart d'heure peut-être, s'emparait en maîtresse de son esprit. Aussi, se retournant vers Blache, qui attendait, l'œil fixé
sur la porte :

— C'est bien, décida-t-elle. Faites vite !

— En échange, y a une chose que je dé-sire.

Et comme Denise ne comprenait pas :

— La lettre, dit le crémier. Rendez-la moi.

— Je vous la rendrai.

— Quand?

— Lorsque j'aurai vu mon frère.

— Vous n'avez pas confiance?

La jeune fille ne répondit pas.

— Allons, reprit Blache, insinuant, cepen-dant qu'une expression d'abjecte inquiétude contractait son visage, allons, mademoiselle Fournier, donnez-la maintenant. On n'aura plus à y penser... Ou alors prenez-la avec vous. Vous me la remettrez là-bas.

— Non, décida Denise. N'insistez plus. Quand nous serons de retour ici, je vous res-tituerai ce papier. Pas avant.

Le crémier revint à la charge, mais devant l'attitude de la jeune fille, il céda, se dirigea vers le couloir et, au moment d'ouvrir la porte, demanda :

— Dans cinq minutes?

— Vous n'aurez qu'à frapper. Je serai prête.

Denise écouta l'homme partir sur la pointe des pieds puis passa chez elle se préparer. Sa mère la suivait, tremblante.

— Voyons, maman! dit-elle doucement, n'aie pas peur.

— Je n'ai pas peur, répondit la vieille femme. Tu l'embrasseras pour moi...

— Oui... oui...

— Tu lui expliqueras qu'un autre soir, bientôt, je t'accompagnerai... peut-être. Mais qu'il ne vienne pas ici, à aucun prix, qu'il le jure!

Un léger craquement dans l'escalier lui fit prêter l'oreille. Les deux femmes, interdites, se glissèrent dans le vestibule et entendirent un murmure étouffé. On eût cru que plusieurs personnes se concertaient à voix basse... puis, à ce singulier conciliabule succéda le heurt nettement perceptible de souliers contre les marches. On montait.

— Mon Dieu! gémit la vieille femme.

Denise la prit contre elle silencieusement et, retenant son souffle, attendit.

Elle ne s'expliquait point ces bruits à pareille heure, ni le mystère dont ils s'entouraient. Provenaient-ils des locataires de la maison? mais ils auraient parlé, marché plus librement. On aurait reconnu leurs pas. La jeune fille réprima un frisson et subitement, bouleversée :

— Maman, s'exclama-t-elle, c'est la police !

Et, tandis qu'elle reculait, pour ne point être tentée d'ouvrir la porte, elle entendit en haut le bruit d'une lutte sauvage, et la voix du crémier qui hurlait désespérément :

— Ah! vaches! Les vaches! Au secours!

XIV

— Mademoiselle! dit le commissaire en s'inclinant.

Denise, qui faisait antichambre depuis plus de deux heures, dans la salle du poste, répondit par un léger signe de tête et regarda craintivement M. Jory-Balard. Encore tout ahurie par l'arrestation du crémier, elle se demandait non sans inquiétude pourquoi on l'avait convoquée et la nature des questions qu'on allait lui poser. La lampe à réflecteur, les durs fauteuils de crin, les rideaux, le bureau peint en noir lui causaient une insurmontable sensation de gêne et de dégoût. A la vue de la

gaine de papier contenant le couteau, la jeune
fille frémit.

Il lui parut que la scène pénible dont le souvenir l'oppressait, allait recommencer dans le
même cadre.

— Mademoiselle, dit le commissaire, vous
êtes en possession d'un document que vous
ne verrez, j'en suis sûr, aucun inconvénient
sérieux à me soumettre.

Sans prononcer un mot, Denise ouvrit son
sac, en tira la lettre du crémier, la posa sur
la table.

— Mille grâces, fit à mi-voix M. Jory-Balard. Il me reste en ce moment à enregistrer
vos déclarations à propos d'une certaine visite qui n'a pas dû laisser, hier soir, de vous
causer quelque surprise.

— En effet.

— Vous permettez?

Le commissaire appuya sur un bouton de
sonnette. Aussitôt une porte à tambour s'ouvrit, dans le fond de la pièce, et livra passage
à un scribe qui s'installa près de son chef et

s'apprêta à consigner les renseignements
qu'allait donner la jeune fille.

— L'heure exacte?

Denise la dit sans hésiter, puis rapporta les
faits de la veille jusqu'aux moindres détails.

Durant ce temps, de l'autre côté de la porte
à tambour, séparant le cabinet du commissaire d'une salle aux murs matelassés, le crémier se tenait entre deux inspecteurs. Ceux-ci
le harcelaient de questions. L'homme était là,
debout, regardant chaque fois celui des policiers qui parlait, et lui répondant par des gro-
gnements, des hochements de tête, des sou-
pirs, des paroles confuses.

— Tu vas nous faire croire que tu ne sais
rien de l'affaire! Penses-tu! Tous les journaux qu'on a trouvés chez toi, dans ta boutique...

— Ta dispute avec la concierge...

— Tu voulais l'esquinter.

— Pourquoi?

— J'étais saoul.

— Pourquoi étais-tu saoul?

Blache haussait les épaules.

— Avant, tu ne te saoulais pas. Tu n'écrivais pas de lettres comme celle qu'on a saisie.

— Comment, saisie?

— Ta gueule!

— Et ta visite de cette nuit aux Fournier, peux-tu en indiquer la cause?

— Non.

— Ah! tu vois!

— Il n'y a pas de cause.

— Qu'est-ce que tu dis?

— J'étais saoul!

Cette réponse qu'il avait eue, dès le début, le crémier tentait désormais de s'y accrocher comme à son unique planche de salut. Ni menaces, ni violences ne pouvaient avoir raison de lui. Blache écoutait les premières, recevait les secondes sans broncher. Aucune plainte ne sortait de sa bouche et, quand les policiers se relayaient, il opposait aux nouveaux venus la même obstination.

Vers huit heures du matin, M. Jory-Balard était venu le voir et lui avait offert une cigarette. Le commerçant l'avait refusée, saisi de peur à l'idée qu'on pourrait, un jour, entrer dans sa cellule, lui tendre également une cigarette — la dernière. Puis son épouvante s'était dissipée et on avait repris l'interrogatoire.

Le commissaire y assistait.

— Dis au moins quelque chose! ordonnaient les inspecteurs. Défends-toi. Parle...

Hébété, pressé de questions, Blache roulait de gros yeux et se passant parfois la main sur le visage, soufflait comme un taureau vaincu. Ou bien il marchait à grands pas d'un mur à l'autre, ou bien il se piétait dans un angle de la pièce et se dandinait lourdement en promenant autour de lui des regards effarés.

— Minute, fit M. Jory-Balard, qui tira d'une de ses poches un morceau de papier et le lui présenta. Sais-tu lire?

C'était la copie de la lettre adressée à Denise. Le crémier ne répondit pas : il cessa néanmoins d'osciller sur ses jambes, soupira bruyamment.

— Je vois que tu commences à comprendre, dit le fonctionnaire. Ecoute-moi bien. Si tu peux prouver que ce document n'est pas de toi, je te ficherai la paix.

L'homme flaira le piège et se mit à geindre, mais le commissaire le saisit par le revers de son veston, en criant :

— Entends-tu?

— Je... ne... sais pas, balbutia plaintivement Blache. Ils m'ont battu. J'ai mal.

Il tenta d'écarter sa chemise pour montrer sur son corps la trace des coups.

Un inspecteur dit tranquillement :

— C'est faux.

— Il ne s'agit pas de ça, reprit le commissaire. Allons. Tu rouspéteras plus tard. Oui ou non. As-tu écrit cette lettre? Le reste n'a pas d'intérêt.

— Il est tombé dans l'escalier, affirma l'inspecteur.

Le crémier protesta :

— Qui? Moi?

— Parfaitement.

Perdant patience, M. Jory-Balard secoua le gros homme et, l'obligeant à garder ses yeux dans les siens, répéta :

— Oui ou non? As-tu écrit?

— Non.

— Ce n'est pas toi?

— Non !

« *Mademoiselle,* lut alors à voix haute le fonctionnaire, *je vous dois une explication après la scène pénible...* »

Le crémier, se sentant pâlir, baissa la tête. Il pensa qu'il avait eu tort de nier, et qu'il lui faudrait tôt ou tard convenir de son mensonge. Pourtant cette idée ne le fit point revenir sur sa déclaration. Il n'interrompit pas la lecture du commissaire et lorsque celui-ci demanda, par acquit de conscience : « Tu as

bien réfléchi? », il serra stupidement les
poings sans prononcer un mot.

C'est à ce mutisme entêté qu'assis, maintenant, devant Denise, M. Jory-Balard réfléchis-
sait. Il n'avait pas fait mine, tout à l'heure,
quand la jeune fille avait placé la lettre sur
son bureau, d'attacher à ce document une extrême importance, mais après quelques secondes, il étendit le bras, saisit l'enveloppe et
en vérifia le contenu.

Une lueur de satisfaction passa dans ses
prunelles puis, comme la déposition de Denise prenait fin, il émit négligemment :

— Avant la nuit dernière, vous n'aviez pas
reçu cet homme chez vous?

— Non, monsieur.

— Mais vous fréquentiez sa boutique?

— J'y allais pour mes achats.

— Autre chose, reprit-il toujours sur le
même ton détaché, cette liaison de Firmin

Blache et de Marthe Halluin vous était inconnue?

— Absolument.

— Votre frère l'ignorait?

— C'est probable.

— Bien, ponctua M. Jory-Balard.

Il sourit. Denise, que cette allusion gênait, se dit qu'il allait être question de Jean et elle se prépara de son mieux à ne rien avancer qui fût en désaccord avec ses précédentes déclarations. Elle avait tu au commissaire la proposition que lui avait faite le crémier de la mener quai d'Auteuil où son frère se terrait, et l'idée qu'on pouvait s'y rendre avant elle l'angoissait. Il n'était point encore prouvé que Jean n'eût pas assassiné Marthe. Les soupçons qui pesaient sur lui subsistaient et tant que la culpabilité du crémier ne serait pas dûment établie, la jeune fille préférait conserver son secret. Elle saurait, dès ce soir, si le gros homme avait menti. Denise n'avait pas d'autre pensée : la nuit venue, elle courrait à Auteuil, elle y explorerait le long de l'eau toutes les maisons en construction et alors, seulement, après avoir ou non trouvé son frère, elle arrêterait sa décision.

— Bien, répéta le commissaire. Très bien ! Mais c'est toujours la même histoire. Cette fugue...

Il resta immobile, réfléchissant.

Denise, dont l'embarras augmentait, en profita pour essayer de se lever.

— Pas encore. Un instant, dit M. Jory-Balard. Voyons, j'ai beau chercher à m'expliquer ce départ furtif... je ne vois pas... Ça ne nous mène à rien.

En prononçant ces mots, il attachait sur la jeune fille un regard qu'elle ne put supporter.

— Oui. Je vois. Cette question que je me pose, vous-même n'y savez que répondre. Enfin...

Il leva les deux mains, les abattit d'un petit geste sec sur son bureau et, se mettant debout, alla jusqu'à la double porte du fond, qu'il ouvrit en appelant :

— Bernard !

Bernard vint aussitôt. C'était un des agents
n civil qui avaient opéré dans la maison, le
ur de la découverte du cadavre. Denise re-
onnut cet inspecteur.

— Eh bien? demanda M. Jory-Balard. Ça
est?

L'autre eut une moue et grogna :

— Pas encore.

A cet instant, comme le tambour n'était pas
efermé, un hurlement s'éleva de la pièce voi-
ine.

Les deux policiers échangèrent un coup
l'œil puis, se tournant vers la jeune fille, lui
irent signe d'approcher.

— Ne craignez rien, dit l'inspecteur. Vous
llez entrer avec nous, c'est compris?

Il poussa rapidement la seconde porte et,
renant par la main Denise, l'attira dans la
alle où le crémier, dès qu'il la vit, cessa de
rier. Ce n'était plus le même homme. Une
xpression d'angoisse se lisait sur son visage
ravagé par la souffrance. On sentait le malheureux à bout de forces. Sa puissante poi-

trine haletait. Il considéra Denise sans com
prendre d'abord ce qu'elle lui voulait puis
brusquement, avec un sursaut d'énergie, il se
précipita sur elle. Mais un des inspecteurs lui
fit un croc-en-jambe et il roula par terre de
tout son poids.

— Allons, debout! ordonna M. Jory-Balard en le heurtant du pied.

Blache n'attendit point d'être aidé et se releva en grondant.

— Tu connais mademoiselle? demanda le
commissaire.

— Oui.

— C'est à elle que tu as écrit?

— Oui, c'est à elle.

La jeune fille recula.

— J'ai ta lettre, reprit le fonctionnaire. Mademoiselle me l'a remise. Ce document est à
côté, sur ma table.

Puis, s'adressant à Bernard :

— Allez le chercher.

Le crémier dirigea sur Denise un regard
lourd de rancune.

— Mes compliments! fit-il.

Et comme l'inspecteur revenait, il grommela :

— Fumier! Ordure!

— Il faut te mettre à table, lui lança un policier. Tu vois? C'était couru.

Bernard, qui avait passé la lettre au commissaire, ajouta sur un ton gouailleur :

— Bien sûr, toi, comme les autres. T'as eu beau faire le Jacques.

— Moi?

— Eh! crâne pas, répliqua paisiblement Bernard; on t'aura. Que tu le veuilles ou non.

— Charogne!

— Pourquoi t'obstines-tu? T'as tort.

— Un conseil, jeta l'autre inspecteur : avoue!

— Ben! J'ai avoué, haleta Blache. J'ai avoué! Vous n'avez pas entendu?

— Tu as dit que tu avais écrit la lettre... c'est pas suffisant. Tu as tué, hein?

— Allons, parle!

— Sinon, nous allons reprendre notre petite conversation.

Une expression nouvelle de terreur passa
dans les yeux du crémier.

— Non. Oh! non, supplia-t-il.

— A la bonne heure! déclara le commissaire. Te voilà raisonnable. Ça vaut mieux
pour tout le monde.

— Possible.

— Mais tu vas me dire à présent quelles
preuves tu peux fournir de tes relations avec
la femme Halluin, la victime. Tu soutiens
qu'elle était ta maîtresse?

Denise, s'adressant alors à Bernard, lui demanda à voix basse si elle pouvait partir. L'inspecteur rapporta sa question au commissaire
qui se tourna vers la jeune fille et répondit :

— Mais certainement, mademoiselle. Pourtant, ne sortez pas de chez vous. Si votre présence est nécessaire, il faut absolument qu'on
sache où vous trouver.

XV

Bien qu'il ne fût que six heures, l'obscurité était entièrement tombée lorsque Denise quitta le métro à Javel et passa le pont Mirabeau. Des lumières rougeoyaient sur la Seine dont le flot morne, en contournant les piles, ne produisait qu'un faible clapotement.

Dans la tranchée du chemin de fer, un feu verdâtre éclairait les rails, et la Tour Eiffel éblouissait le ciel de lueurs saccadées, brasillantes qui tantôt chatoyaient et tantôt s'éteignaient, automatiquement. Comme une barrette de diamants courant d'une rive à l'autre, la rampe du pont de Passy s'inscrivait audessus de celle du pont de Grenelle, et, parfois, une rame de métro déroulait, en perspective, la souple chenille phosphorescente de ses wagons illuminés.

Il avait plu. Montant du fleuve, le vent exhalait son haleine fade, humide. Denise pressa le pas. A droite, l'échelonnement confus des becs de gaz jalonnant le quai d'Auteuil retenait son attention. Ils projetaient une clarté pâle qui laissait apparaître, le long des parapets, les façades crayeuses des hautes maisons neuves dont quelques-unes restaient inachevées. Il y avait entre ces bâtisses des terrains vagues, des intervalles dont l'ombre alternait avec des zones presque claires, moins inquiétantes. Certains de ces immeubles étaient habités. On voyait çà et là des lumières briller dans les cadres des baies, les rectangles des fenêtres, mais la jeune fille ne s'en souciait pas. C'était vers les maisons qui demeuraient obscures qu'elle se hâtait.

A l'angle du pont, elle s'arrêta. Le tram de la porte de Saint-Cloud grinça sur ses rails en s'engageant dans l'avenue de Versailles où le

bruit des voitures, des camions, des taxis, ron-
flait sans interruption. Denise regarda derrière elle, prit à droite, suivit la Seine. Une
impression de calme, presque de torpeur, l'envahit. Tout paraissait abandonné. Des tas de
sable, que la clarté d'un réverbère révélait
parmi les ténèbres de la berge, élevaient des
formes confuses. On apercevait, par endroits,
les reflets du fleuve qui, plus loin, avait l'air
de se perdre en un océan d'ombre.

La jeune fille avançait lentement. Elle longea d'abord une palissade où pourrissaient
des lambeaux d'affiches, puis une première
bâtisse de sept étages à laquelle faisait suite
une maison dont les issues du rez-de-chaus-
sée étaient fermées avec des planches grossièrement assemblées et clouées. L'idée que Jean
pouvait habiter secrètement cet immeuble
traversa l'esprit de Denise; elle frappa plusieurs coups contre les planches, appela. Personne ne répondit. Un peu plus loin, à un
coin de rue, deux madriers en croix interdi-
saient l'accès d'une construction en briques

dont la masse, entourée de maigres échafau-
dages, se dressait dans la nuit.

« La troisième maison après une palissade », avait dit le crémier. Denise se recula
et compta les façades. Oui, la troisième. Ce
devait être ici. Une émotion poignante lui
comprima le cœur et, tout à coup, elle se mit
à trembler. La rue était déserte. Des maté-
riaux, sous un petit hangar, des brouettes, un
brasero éteint, des sacs vides empilés près d'un
coffre à outils : il n'y avait pas autre chose.
Denise se retourna. Craignant d'avoir été suivie elle rebroussa chemin jusqu'à la palissade et tenta de sonder le mystère en regardant par une fente qui existait entre les planches. Là non plus, rien. Rien nulle part. La
lumière crue des réverbères, le long de la
Seine, ne décelait aucune présence et cette so-
litude de la rue, du quai, des berges sombres
revêtait, au voisinage du fleuve, un caractère
de louche complicité.

La jeune fille revint alors, lentement, devant la maison, se glissa sous les madriers, y

pénétra. Sa première impression fut de sentir
le sol se tasser sous son pied et résonner
étrangement. A tâtons, elle risqua plusieurs
pas, respira une odeur de plâtre. C'était bizarre. Les plus faibles bruits du dehors prenaient, entre les murs, une vibration, une mo-
dulation musicales. Denise avança de nouveau puis, au bout d'un moment, demanda :

— Jean ! Es-tu là ?

Elle prêta l'oreille et répéta plus fort :

— Jean !... Jean !...

— Si tu m'entends, ajouta-t-elle enfin, réponds ! C'est moi : Denise !

L'écho lui renvoya son nom, mais sur un
autre timbre, plus clair, plus prolongé, et elle
en éprouva une sorte de frayeur qui lui fit dire,
machinalement :

— Personne ! Non. Il n'y a personne, personne...

Une dernière fois elle appela, demeura immobile et ne sachant qu'entreprendre, revint
en arrière, gagna le quai, le pont, retraversa
la Seine et se dirigea vers la station du métro.

Le clapotis de l'eau le long des berges effrayait la jeune fille. Est-ce que le crémier n'a-
vait pas attiré Jean par ici pour se débarrasser
de lui? Est-ce que Blache, voulant se venger
de la mort de Marthe, n'avait pas assassiné
l'adolescent et jeté son corps dans le fleuve?
L'atmosphère du quartier paraissait s'y prêter. Les reflets rouges des feux signalant le
pont de Grenelle devaient, lorsque ne brillaient plus ceux de la Tour Eiffel, avoir sur
l'eau quelque chose de tragique. Denise imagina leurs molles traînées comme des sillages
de sang et une peur horrible s'empara d'elle à
l'idée que, peut-être, son frère avait été tué
dans la maison où, tout à l'heure, elle l'avait
inutilement cherché et appelé.

En métro, durant le trajet, cette pensée ne
la quitta pas. Au contraire, elle prit sur la
malheureuse une telle puissance qu'au moment de rentrer chez elle, Denise fut sur le
point de se rendre au poste de police et d'y
demander le commissaire. Elle n'avait plus
confiance qu'en lui. Lui seul pouvait, devait

la secourir. Elle parlerait. Elle dirait tout. Cela valait mieux que de demeurer plus longtemps en butte à cette obsession torturante. Denise n'avait plus de courage. Consultant sa montre, elle s'aperçut alors qu'il n'était que sept heures et elle obliqua dans la direction du commissariat.

— Tiens! vous! constata l'agent de service. On vous attend.

— J'ai dû sortir, répondit-elle.

— Sortir? Enfin, grouillez-vous. Vous vous expliquerez là-bas.

— Où donc?

— Ben, à la boutique. Ils y sont.

La jeune fille n'insista pas. Elle courut jusqu'au magasin du crémier et aperçut, de loin, sur le trottoir, un insolite attroupement.

— Monsieur! cria-t-elle à l'inspecteur qui se tenait devant la porte.

L'inspecteur écarta les badauds puis il fit approcher Denise, et, frappant aux carreaux, attendit qu'on ouvrit.

— Oui, dit-il. Le patron va vous passer quelque chose, il est en rogne.

La jeune fille, que regardaient les curieux en se pressant pour l'examiner de plus près, resta silencieuse. L'huis s'entre-bâilla.

— Allons, vite! mademoiselle Fournier! jeta l'inspecteur.

Il la fit entrer et, refermant la porte, reprit flegmatiquement sa faction sur le trottoir, sans avoir l'air d'entendre les innombrables questions que, de toutes parts, on lui posait.

— Enfin, vous vous décidez! constata sèchement M. Jory-Balard en apercevant Denise.

Celle-ci s'arrêta.

— Approchez, commanda-t-il sur le même ton désagréable.

Il se trouvait dans l'arrière-salle, à côté du crémier dont le front ruisselait de sueur. Denise s'empressa d'obéir. Sur la table, entre le litre et les journaux, le scribe faisait grincer sa plume, à petits coups rapides, persévérants.

— Ainsi, disait à Blache le commissaire,

vous prétendez avoir toujours acheté pareille quantité de journaux?... Bon. Ne discutons pas. Mais comment se fait-il qu'aucun d'eux ne soit d'une date antérieure au crime?

— J'aurai brûlé les autres, répliqua le crémier.

— Et pas un de ceux-ci?

— Non, vous voyez!

— Pourquoi?

Un certain temps s'écoula.

— Eh bien! pas de réponse?

L'homme ne semblait pas entendre. Jusqu'à ce moment, il avait montré un sang-froid relatif, attestant son innocence, donnant au magistrat de vagues explications, mais dès l'instant où Denise fut présente, un trouble mystérieux s'empara de lui. Il la considérait avec une extrême attention, fixant sur elle ses gros yeux glauques, comme s'il s'efforçait de la fasciner.

Le commissaire, à qui n'échappait pas l'attitude de Blache, fit signe à la jeune fille de se placer plus près de lui, à droite, et il s'aperçut aussitôt que l'émoi du crémier augmentait. Le gros homme paraissait en proie à une sorte d'angoisse, de désarroi.

Dans un angle de la pièce, pêle-mêle au-dessus de bouteilles de lait, il y avait une vieille paire de savates, une blouse déchirée, diverses hardes. Aucun des policiers ne semblait attacher d'importance à ces vêtements. Le scribe les cachait à la vue de Denise, qui n'y avait pas encore pris garde. Mais dès que la jeune fille y eut porté les yeux, elle poussa un cri.

— Là! cria-t-elle, voyez!

A côté du sarreau en loques, elle venait de reconnaître un trench-coat clair à martingale, celui de Jean, et elle le désignait du doigt aux enquêteurs.

— Quoi? gronda le crémier, qu'est-ce qu'elle raconte?

Il voulut ramasser lui-même l'imperméable, mais la jeune fille se précipita et le lui arracha des mains.

— Vous mettez pas en ces états, grommela le crémier. Vous êtes folle!

— Oh! fit Denise, en s'adressant au commissaire. Ce vêtement...

— Pas vrai! hurla le gros homme. Ce n'est pas vrai!

M. Jory-Balard lui imposa silence et pria la jeune fille de s'expliquer. Elle était si bouleversée qu'on dut la faire asseoir, la calmer, l'aider à reprendre ses sens. A la fin elle éclata en sanglots, et, se cachant la figure dans les mains, elle gémit :

— Jean! Où est Jean?

Un inspecteur tenta d'intervenir : d'un geste, le commissaire lui ordonna de ne pas bouger et, frappant le crémier sur l'épaule :

— Je crois qu'on te parle.

— Allons donc! Ça n'existe pas.

— Si! affirma Denise. Je viens d'où vous savez... du bord de l'eau...

— Possible.

— Je n'ai pas trouvé Jean.

Le commerçant regarda M. Jory-Balard qui lui dit :

— Entends-tu?

— C'est comme pour l'imperméable, répliqua Blache. Je ne pige pas.

— Nous verrons, fit le fonctionnaire.

Il se pencha vers Denise et lui demanda à voix basse :

— Ce trench-coat vous appartient?

— Il appartient à mon frère et je ne comprends pas qu'il soit ici. Mais cet homme — elle montra le crémier — m'a raconté que Jean avait découvert une cachette par ses soins. Firmin Blache l'aura aidé à changer de vêtements.

Le crémier secoua la tête, avec effroi.

— Comment! s'écria la jeune fille, vous ne m'avez pas expliqué hier soir que Jean se trouvait quai d'Auteuil... que vous alliez l'y voir? Vous vouliez m'y conduire.

— Quai d'Auteuil? dit le commissaire.

— Oui.

— Pur mensonge! déclara le gros homme. Je n'ai jamais parlé de ça.

— Et votre description d'un ciré noir, très long, sans martingale?

— Non plus!

La jeune fille se leva brusquement et s'approcha de Blache.

— Je vous en prie, mademoiselle, prononça le commissaire, partons d'un élément précis. Vous affirmez que cet imperméable est bien celui de votre frère?

— Sans aucun doute.

— Et toi? demanda-t-il au crémier. Tu nies toujours?

L'homme haussa les épaules.

— Tu nies? répéta le fonctionnaire.

— Que voulez-vous que je réponde, je ne sais pas...

— Donc, cet imperméable n'est pas à toi?

— Non.

— Tu ne l'as jamais vu à personne?

— A personne!

— Comment se fait-il qu'il soit dans la boutique?

— Voilà... maugréa Blache en haussant les épaules, quelqu'un l'aura mis là... pour me nuire.

— Qui?

— J'affirme, dit alors Denise, que ce quel qu'un ne peut être que mon frère...

— Pensez-vous!

— Voyons, quand vous l'avez aperçu, lundi dernier, il portait certainement ce trench-coat. J'en suis certaine, il n'en a qu'un.

— Prouvez-le! riposta le crémier. Lorsqu'on est sûre comme vous l'êtes, ça ne doit pas être difficile. Il y a une marque de fabricant. Regardez.

— Il y a mieux, déclara Denise en s'approchant du commissaire et lui montrant, à l'intérieur du vêtement, deux fils de laine rouge.

Blache voulut voir de quoi il s'agissait, mais un des inspecteurs s'y opposa et, durant un instant, la jeune fille et M. Jory-Balard s'entretinrent à voix basse de cette seconde marque.

— Enfin, qu'est-ce que vous complotez, maugréa le gros homme, se débattant avec rage. Qu'est-ce qu'elle raconte?

Le fonctionnaire ne répondit pas. Il appela

un policier, lui donna un ordre à l'oreille puis,
considérant le crémier dont l'angoisse augmentait, attendit que son subordonné revînt
accompagné de Mme Juif, la teinturière, que,
sur la prière de Denise, il avait fait chercher.

XVI

Ce soir-là, vers minuit, un taxi s'arrêta quai d'Auteuil et cinq personnes en descendirent.

La tour Eiffel, éteinte, découpait sur le ciel sa silhouette et dominait la masse des maisons endormies. Entre de molles vapeurs, parfois, la lune brillait. Elle faisait alors courir sur l'eau mille reflets furtifs et répandait sur les façades, les toits, les trottoirs et les quais une lueur floue qui les tirait pour un instant de l'ombre. Sous les arches du pont de Grenelle, les feux rouges du service de la navigation se reflétaient toujours à la surface du fleuve en larges flaques sanglantes.

Denise dit au crémier :

— N'est-ce pas? C'est bien ici?

Il répondit par un grognement et tenta
d'indiquer d'un geste la direction à suivre,
mais comme on lui avait passé les menottes,
il eut un mouvement de la tête et soupira :

— Oui, à gauche !

La jeune fille reconnut l'entrée, avec les
madriers en croix et frissonna.

Un sombre pressentiment l'avertissait que
son frère n'était pas là, plus là, que cette ex-
pédition ne servirait à rien et une peur horrible s'emparait d'elle à mesure qu'elle approchait de la maison en compagnie de l'homme
qui avait tué Marthe, et — qui sait même ? —
Jean.

C'est, en effet, à la suite de cette seconde
accusation portée par Denise contre Blache,
que celui-ci s'était décidé à parler. On avait
dû cependant le brusquer, le contraindre. Il
niait tout, stupidement. Après avoir reconnu
que Marthe Halluin avait été sa maîtresse, il
s'était efforcé de prouver qu'elle ne lui avait

jamais appartenu. Le commissaire le laissait dire, puis lui donnait lecture de ses premières déclarations et les opposait l'une à l'autre afin d'en souligner le désaccord.

— Pardon! protestait le gros homme. Si j'ai déposé en ce sens, c'est pour qu'on cesse de me martyriser; on ne m'a pas ménagé, l'autre nuit.

— Qui, on?

Le crémier désignait les inspecteurs. Malheureusement, ce n'étaient plus les mêmes: déconcerté, il s'embrouillait, mêlait ses réponses.

— Je te croyais plus intelligent! lui dit le commissaire.

Quand la teinturière était venue, elle avait reconnu l'imperméable.

Le gros homme, qui aurait pu rester dans le vague, s'était alors lancé à travers de laborieuses explications, donnant à croire que Denise avait elle-même déposé le trench-coat dans la boutique. Mais la jeune fille s'était expliquée à fond, et le crémier avait compris

qu'il allait à sa perte en n'avouant pas au
moins la retraite de Jean. Il s'y prit, malheureusement pour lui, de telle sorte, que le commissaire lui demanda à brûle-pourpoint :

— Pourquoi l'as-tu aidé à se cacher?

— J'ai pas pu refuser. Il m'a supplié de lui
porter secours.

— Où t'a-t-il supplié?

— Dans la rue...

— Réfléchis! Dans la rue on aurait pu
vous voir...

— C'était la nuit.

— Ensuite?

— Voilà, y a pas autre chose.

— Tu l'as mené ici.

— Moi? Non.

— Si.

— Comme vous voudrez, murmura le crémier.

Il essaya de regarder en face M. Jory-Balard qui reprit aussitôt :

— Ici, tu l'as fait se changer.

— Oh! grogna le gros homme, il l'a fait de lui-même...

Et, détournant les yeux, il eut l'air de chercher à se rappeler comment les choses s'étaient passées, mais, au bout d'un moment, il secoua la tête, et dit, d'une voix rauque :

— Que voulez-vous savoir encore?

— La raison pour laquelle tu as agi ainsi.

— Je ne sais pas. J'avais pas de raison...

— On n'agit pas sans raison, répliqua froidement le commissaire. Allons! Comprends-moi bien : explique.

— Ben... Il avait peur. Il mourait de peur. J'ai jamais vu personne comme ça. L'idée qu'on allait l'arrêter le rendait fou. J'ai eu pitié...

— Non.

Le commerçant releva la tête mais demeura silencieux.

— Non, répondit le fonctionnaire. Tu n'as pas eu pitié. Tu t'es dit, au contraire, que puisque le hasard mettait ce garçon sur ta route, c'était pour toi une chance.

— Comment ça?

— Parce que tant qu'il nous échapperait, les soupçons se porteraient sur lui et que tu pourrais t'en tirer...

— Ah! mais non, protesta l'homme. Ce n'est pas moi.

Il s'anima et cria :

— Moi, je suis innocent...

Aussitôt, une longue lutte commença entre Blache et les inspecteurs qui, le pressant tous à la fois d'avouer, ne faisaient que rendre sa colère plus farouche.

— Où étais-tu, la nuit du crime?

— Chez moi... couché.

— Assassin!

— Vous n'allez pas recommencer.

Il soupirait, jurait, se bouchait les oreilles.

— Tu as tué cette femme...

— Tu l'as tuée par jalousie.

— Allez! Raconte!

— Tu l'as tuée... pourquoi?... Tu l'as tuée... comment?

Chaque question l'atteignait au vif : il tres-

saillait, sursautait. Le mot « tuer » surtout
produisait sur lui l'effet d'une brûlure, d'une
banderille vibrant à même la plaie, et le malheureux avait beau s'y attendre, il en éprouvait, chaque fois, une souffrance qui le for-
çait à répéter sourdement :

— Non... non...

— Je vais revenir dans une heure, laissa
tomber, d'un air placide, M. Jory-Balard.
Peut-être seras-tu mieux disposé.

A l'expression de désespoir qui se peignit
sur les traits du crémier, le commissaire pres-
sentit que la minute des aveux définitifs approchait; il n'en montra cependant rien. Faisant signe à Denise de le suivre, il feignit de se
retirer, mais, se retournant tout à coup :

— Tu m'entends? lança-t-il. Dans une
heure...

— Oh! gémit Blache, ne partez pas.

Il était épuisé. La perspective de rester seul
avec les policiers l'emplissait d'épouvante.

— Ne partez pas! supplia-t-il encore. Je
n'en peux plus.

Denise, qui l'observait, crut qu'il allait tomber.

— Eh bien!... parle! dit le fonctionnaire.

Un lourd silence dura une minute. Après quoi, d'une voix morne, étouffée, le gros homme balbutia :

— Vous avez raison... Quand j'ai sonné chez Marthe, j'avais le couteau dans ma poche. Elle m'a ouvert. Aussitôt qu'elle m'a vu elle est allée fermer la porte de sa chambre où il y avait quelqu'un...

— Jean! s'écria Denise.

— Oui... mais il n'a pas pu se douter que c'était moi, poursuivit lentement le crémier. J'ai fait une scène à Marthe qui avait été ma maîtresse... par surprise. Elle a voulu me repousser. Je l'ai saisie entre mes bras et... voilà... voilà... tout...

— Mais le couteau? s'informa le commissaire. Est-ce bien celui qu'on a ramassé dans la cour?

— Celui-là, oui. Je l'ai jeté moi-même le lundi soir, par la fenêtre.

Il s'écroula sur une chaise, suant à grosses gouttes, tremblant, livide. Un inspecteur consulta du regard son chef, et, sans qu'une seule parole fût échangée, il tira des menottes de sa poche et les passa rapidement aux poignets du crémier.

Maintenant, c'était cette même voix rauque de Blache que Denise entendait retentir dans la nuit :

— Oui... A gauche... à gauche... allez toujours... à gauche...

L'horreur que lui inspirait l'assassin la poussait à se tenir en avant du groupe qu'il formait avec les policiers, mais le commissaire la rappela.

— Laissez-le d'abord entrer seul avec son gardien, recommanda-t-il.

Les deux hommes franchirent la porte de la maison et, aussitôt, on aperçut à l'intérieur la clarté d'une lampe électrique danser fantastiquement sur les murs.

— Venez-vous? fit le commissaire.

La jeune fille suivit. Lui aussi possédait une lampe et il en poussa le déclic pour éclairer leur marche, car le crémier et l'inspecteur avaient déjà gagné le sous-sol de l'immeuble. A cet endroit, leurs souliers n'éveillaient plus qu'un bruit assourdi sur les dalles de ciment. Denise se dirigea vers l'escalier.

— Méfiez-vous, lui cria-t-on d'en bas. Ça manque de rampe.

Elle rejoignit le policier qui l'avait avertie et, anxieusement, demanda :

— Personne?

— C'est plus loin, répondit Blache, la dernière salle...

Il prit la tête de la petite troupe grossie du commissaire et lui fit traverser plusieurs pièces absolument désertes, dont les parois crayeuses étaient ornées d'inscriptions obscènes, de dessins.

— Jean! appelait Denise.

De vastes plaques d'humidité s'étendaient

sur les murs et une couche gluante recouvrait
le sol parsemé de gravats.

— Attention! souffla le gros homme.

Il désigna d'un signe de tête la salle du
fond et y pénétra, en disant :

— Eclairez par ici!

La jeune fille se précipita.

— Ah! cria-t-elle... il y a quelqu'un! C'est
toi, Jean?

Dans la lumière vacillante des lampes, un
individu se dressa d'un monceau de chiffons
disposés le long de la muraille et mit une
main devant ses yeux.

— Approche! ordonna l'inspecteur.

L'individu n'eut pas l'air de comprendre.
C'était un pauvre bougre, à mine hébétée,
vêtu de loques. Il dormait à moitié. Une
barbe hirsute lui couvrait le visage.

— Eh ben? fit-il.

Le commissaire lui demanda :

— Tu es seul?

Il bâilla sans répondre.

— Oui, seul! grommela Blache en promenant son regard autour de la pièce.

— Eh ben? répéta le clochard.

L'inspecteur haussa les épaules et jeta, non sans vérifier les menottes de son client :

— Faudrait pas te foutre du monde.

— C'est pourtant là, protesta le crémier. Je suis venu avant-hier, il y était.

— Et ce mironton-là aussi?

— Oui, peut-être.

— Ecoute, dit alors le commissaire au miséreux, tu dors, à cet endroit, depuis combien de temps?

— Un mois.

— Toutes les nuits?

— Toutes les nuits... oui... Eh ben?

— Il n'y a jamais personne que toi dans la maison?

Le gueux se gratta la barbe, parut réfléchir.

— Non, répondit-il à la fin, y a personne là que moi... maintenant.

— Mais hier, précisa Blache, étais-tu seul?

— Hier?

— Hier soir?

Le loqueteux indiqua plusieurs sacs empilés qui formaient une sorte de couchette voisine de la sienne.

— Tout à l'heure encore, murmura-t-il
d'une voix pâteuse, il a venu dormir.

— Mais qui?

— L'autre.

— Un jeune?

— Oui, ben sûr...

Et reconnaissant le crémier :

— Vous veniez vous aussi, des fois, n'est-ce
pas? Je vous remets. Eh ben?

— Vous devez vous tromper, dit alors
craintivement Denise. Tout à l'heure, il n'y
avait personne. Je suis venue. J'ai appelé.

— Ah! C'était vous?

— Comment, s'écria-t-elle. Vous avez entendu?

— Dame!

— Et, fit la malheureuse... l'autre était là?

— Il était là, déclara le clochard. On dormait pas encore, ni lui ni moi. On venait pres-

que d'arriver. Il arrangeait ses sacs. Et tout
par un coup, j'y ai dit : « Tiens! écoute... »

— Non, non, ce n'est pas vrai!

— Si : « Ecoute, que j'y ai dit... C'est peut-
être ton copain. » J'ai même gratté une allu-
mette. Il pleurait, étendu là, par terre.

La jeune fille courba la tête.

— Alors, pas? j'ai éteint... pour le laisser
libre. Puis on n'a plus appelé. On est parti.

— Oui, en effet, je suis partie, prononça
faiblement Denise.

— Puis lui, après. J'ai pas compris pourquoi.

— Il n'a rien expliqué? s'enquit le commissaire.

— Non. Rien. Seulement comme j'avais
peur, je l'ai suivi jusqu'à la rue... Et là, pour
tout vous dire, je l'ai vu qui s'éloignait, le long
de l'eau, seul, tout seul, tout le long de l'eau...
comme une ombre...

FIN

ACHEVÉ D'IMPRIMER SUR LES
PRESSES DE E. RAMLOT ET Cie
52, AVENUE DU MAINE, PARIS.